U0027480

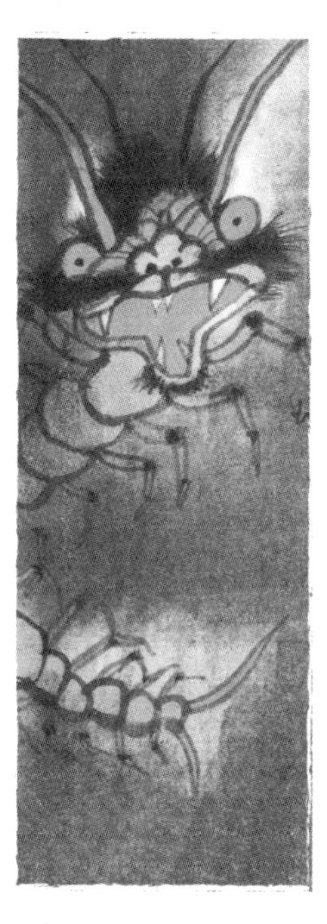

陰陽師

瀧夜叉姫 上

陰陽師系列 第十部

夢枕獏——著

茂呂美耶——譯

新版推薦序

伴隨《陰陽師》系列小說十五年有感

承接《陰陽師》系列小說的編輯來信通知，明年一月初將出版重新包裝的第一部《陰陽師》，並邀我寫一篇序文。

收到電郵那時，我正在進行第十七部《陰陽師螢火卷》的翻譯工作，而且，由於晴明和博雅這兩人拖拖拉拉了將近三十年的曖昧關係（中文繁體版則爲十五年），終於有了一小步進展，令我陷入興奮狀態，於是立即回信答應寫序文。因爲我很想在序文中向某些初期老粉絲報告：「喂喂喂，大家快看過來，我們的傻博雅總算開竅了啦！」

其實，我並非喜歡閱讀BL（男男愛情）小說或漫畫的腐女，《陰陽師》也並非BL小說，但是，我記得十多年前，曾經在網站留言版和一些《陰陽師》死忠粉絲，針對晴明和博雅之間的曖昧感情，嬉笑怒罵地聊得鼓樂喧天，好不熱鬧。

說實在的，比起正宗BL小說，《陰陽師》的耽美度其實並不高。就我個人觀點而言，這部系列小說的主要成分是「借妖鬼話人心」，講述的是善變的人心，無常的人生。可是，某些讀者，例如我，經常在晴明和博雅的對話中，敏感地聞出濃厚的ＢＬ味道，並為了他們那若隱若現，或者說，半遮半掩的愛意表達方式，時而抿嘴偷笑，時而暗暗奸笑。

身為譯者的我，有時會為了該如何將兩人對話中的那股濃濃愛意，翻譯得不露骨，但又不能含糊帶過的問題，折騰得三餐都以飯糰或茶泡飯草草果腹，甚至一句話要改十遍以上。太露骨，沒品；太含蓄，無味。所幸，這種對話不是很多。是的，直至第十六部《陰陽師蒼猴卷》為止，這種對話確實不多。

然而，我萬萬沒想到，到了第十七部《陰陽師螢火卷》，竟然出現了令我情不自禁大喊「喂喂，博雅，你這樣調情，可以嗎？」的對話！不過，請非腐族讀者放心，這種對話依舊不是很多，況且，說不定我們那個憨厚的傻博雅，不明白自己說的那些話其實是一種調情。而能塑造出讓讀者感覺「明明在調情，但調情者或許不明白自己在調情」的情節的小說家夢枕大師，更令人起敬。

話說回來，不論以讀者身分或譯者身分來看，《陰陽師》系列小說最吸引我的場景，均是晴明宅邸庭院。那庭院，看似雜亂無章，卻隨著季節交替輪換而自有一番情韻。倘若我在進行翻譯工作時的季節，恰好與小說中的季節相符，我會翻譯得特別來勁，畢竟晴明庭院中那些常見的花草，以及，夏天吵得不可開交的蟬鳴和秋天唱得不可名狀的夜蟲，我家院子都有。只是，我家院子的規模小了許多，大概僅有晴明宅邸庭院的百分或千分之一吧。

爲了寫這篇序文，我翻出《陰陽師飛天卷》、《陰陽師付喪神卷》、《陰陽師鳳凰卷》等早期的作品，重新閱讀。不僅讀得津津有味，甚至讀得久違多年在床上迎來深秋某日清晨的第一道曙光。

此外，我也很佩服當年的自己，竟然能把小說中那些和歌翻譯得那麼美。不是我在自吹自擂，是眞的。我跟夢枕大師一樣，都忘了早期那些作品的故事內容，重讀舊作時，我眞的在文字中看到當年爲了翻譯和歌，夜夜在書桌前和古籍資料搏鬥的自己的身影。啊，畢竟那時還年輕，身子經得起通宵熬夜的摧殘，大腦也耐得住古文和歌的折磨。如今已經不行了，都盡量在夜晚十點上床，十一點便關燈。因爲我在明年的生日那天，要穿大紅色的「還曆祝著」（紅色帽子、紅色背心），慶祝自己的人生回到起點，得以重新再活一次。

如果情況允許，我希望能夠一直擔任《陰陽師》系列小說的譯者，更希望在我穿上大紅色背心之後的每個春夏秋冬，仍可以自由自在穿梭於晴明宅邸庭院。

茂呂美耶

於二〇一七年十一月某個深秋之夜

目錄

平安時代中期的平安京

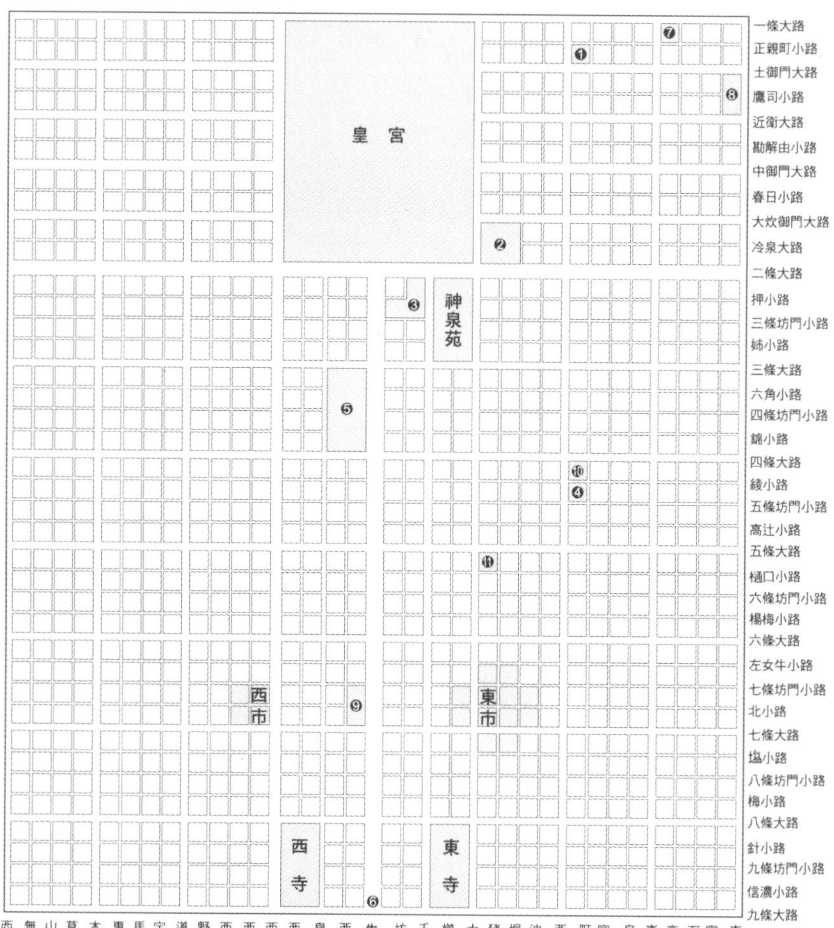

❶安倍晴明宅邸　❷冷泉院　❸大學寮　❹菅原道眞宅邸　❺朱雀院　❻羅城門　❼藤原道長「一條第」
❽藤原道長「土御門殿」　❾西鴻臚館　❿藤原賴通宅邸　⓫藤原彰子邸

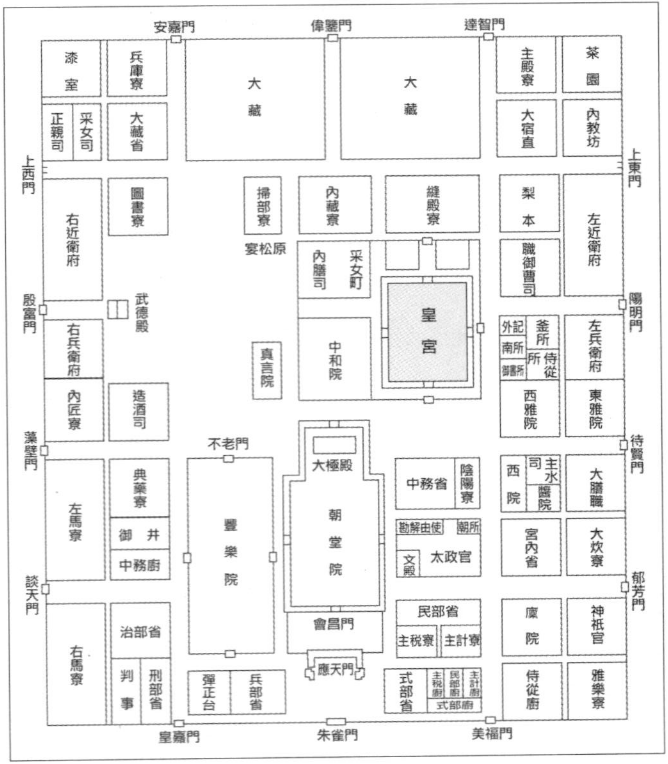

安嘉門
偉鑒門
達智門
上西門
殷富門
藻壁門
談天門
上東門
陽明門
待賢門
郁芳門
皇嘉門
朱雀門
美福門
漆室
兵庫寮
正親司
采女司
大藏省
大藏
大藏
主殿寮
茶園
大宿直
內教坊
右近衛府
圖書寮
掃部寮
內藏寮
縫殿寮
梨本
左近衛府
宴松原
內膳司
采女町
皇宮
職御曹司
武德殿
右兵衛府
真言院
中和院
外記
釜所
南所
侍從所
御書所
左兵衛府
內匠寮
造酒司
西雅院
東雅院
不老門
大極殿
中務省
陰陽寮
西院
主水司
醬院
大膳職
左馬寮
典藥寮
御井
中務廚
豐樂院
朝堂院
勘解由使
朝所
太政官
文殿
宮內省
大炊寮
民部省
主稅寮
主計寮
廩院
神祇官
右馬寮
治部省
判事
刑部省
會昌門
應天門
彈正台
兵部省
式部省
主稅廚
民部廚
主計廚
式部廚
侍從廚
雅樂寮

大內裏

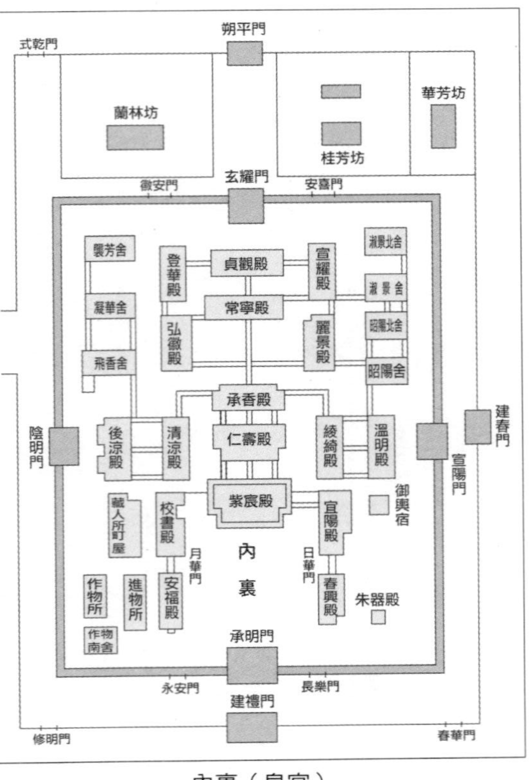

內裏（皇宮）

序卷

一

夜晚——

牛車順著朱雀大路南下。

是輛黑公牛拉曳的網代車①

西方上空掛著像貓爪一樣細長的月亮。隨從四人。

拉牛一人。

舉火把兩人。

餘下一人是位膚色白皙、相貌如女子的童子。

童子赤足。

穿著白色窄袖服，長髮束在腦後，垂在背上。

面無表情。

即使看他的黑眸，也無法得知他到底在想什麼。

童子以那雙眼眸望著前方前行。

若要找他臉上有表情的部位，是那透明得猶如可見鮮血的紅唇。

唇角兩端看似微微往上翹。

那也可說是笑容。

①屋頂用絲帛、竹片、葦草、檜木縱橫編織而成的牛車，大臣以下的公卿或獲准進入天皇辦公處清涼殿的殿上人專用。

即便是笑容，也是似有若無的微笑。

走在前方的男人手中舉的火把，火焰映在童子臉上。

火焰鮮明映在白皙肌膚，看似紅色火焰在童子雙頰搖曳。

童子從方纔起，就一直凝望前方——南方。

突然——

舉著火把走在前面的男人，冷不防駐足，隻腳往後伸到童子腳邊。

童子絆到那腳，往前摔倒。

「烏鴉童，怎麼了？」絆倒童子的男人說。

是他故意伸出腳讓童子摔倒。

「你在等母狐來扶你嗎？」另一個舉火把的男人說。

牛車發出喀噠聲，通過童子身旁。

童子沒起身。

雙手和雙膝撐在地上，定睛凝望南方。

「爲何不起來？」絆倒童子的男人回頭望向背後的童子。

不知男人聲音是否傳到童子耳裡，童子依舊凝望南方羅城門方向說：

「你沒看到那個？」

「什麼那個？」

「什麼意思？」

兩個男人停住腳步問。

「那邊有某物體往這邊過來。」童子說。

兩個男人望向羅城門方向，粗聲粗氣說：

「不是什麼都沒過來嗎？」

「你又在玩把戲了？」

雖有月亮，卻細長得近似新月。

亮光也暗得不能稱之爲月光。

火把光只能照亮前方數間②而已，可以看清方向，卻看不清應位於前方的羅城門形影。

牛車丟下三人，緩緩往前行駛。

「你不會爲了想討好忠行大人，又在打什麼鬼主意吧？」絆倒童子的男人說。

另一個男人吐了一口痰。

痰落在童子臉頰。

童子沒抹去痰，仍望向羅城門方向。

「好像是危險物體。」

---

②一間為六尺。

童子站起身，不理睬那兩人，逕自奔向前方的牛車。

「你想幹什麼？」

「這小鬼……」

兩人隨後追趕童子，但童子已追上牛車並開口說：

「師傅大人，不好了。」

牛車內似乎有人在動。

「唔……」

繼而傳出剛從假寐中醒來般的男人聲音。

「什麼事？」

「羅城門方向有團可疑雲氣往這邊挨近。」

「什麼?!」

垂簾掀起，牛車內現出一張白髮老人的臉。

老人望著牛車前行的方向，表情在火把亮光中突然僵硬。

「唔。」

雙眸露出嚴厲神色。

「停車。」老人壓低聲音說。

牛車停止後，老人從車內下來。

「忠行大人，爲什麼……」

舉火把的男人問，但老人沒回應。

老人在牛車四周，以舞蹈般的姿勢邊走邊踏地。

每走幾步，便以單膝支地，手指貼在地面，口中小聲喃喃念咒。

完畢後，老人以緊張聲音說：

「熄掉火把。千萬別動。」

「有什麼事……」

老人制止問話。

「沒時間說明了。從現在起，直至我說好，你們都不能出聲。假若動了身子或發出聲音，你們要有喪命的心理準備。」

如此說畢後，老人便緊閉雙唇。

兩把火把熄滅後，黑暗立即自四周蜂擁而至。

暗到只能看清彼此的身體輪廓。

傳進耳裡的也只有身旁人的呼吸聲。

童子和老人似乎可以看見前方挨近的物體，但其餘三個男人看不見。

儘管如此，待眼睛逐漸習慣黑暗後，在星光下也可以朦朧地看見物體形狀。

前方有股動靜，令望向南方的眾人倒吸一口氣。

另三人似乎終於也可以看見那動靜了。

起初那動靜看似青黑色煙靄。

霧茫茫地像盤踞地面的雲朵。

那煙靄逐漸挨近。

類似雲朵的那物體，似乎微微發出朦朧亮光。

隨著那物體挨近，也可看見雲中似乎有某物在蠕動。

那物體更挨近了。

雲中蠕動的物體形狀也逐漸清晰。

待那三人知道是什麼時，好不容易才吞下口中情不自禁想發出的悲鳴。

那是無數妖鬼。

獨眼禿頭妖。

獨腳犬。

雙頭女。

有腳的蛇。

長出手腳的琵琶。

獨角妖。

雙角妖。
如牛大小的蟾蜍。
有著馬首的東西。
在地上爬的。
手舞足蹈的。
沒有臉的。
只有嘴巴的。
後腦有臉的。
只有頭在空中飛的。
長脖子的。
黏答答的。
長的。
短的。
有翅膀的。
用腳走路的罈子。
從畫中溜出的扁平女子。
沒腳在地上爬的野狼。

四隻手的。

手中拿著眼珠走路的。

身上掛滿乳房的女人。

所有妖鬼都搖搖晃晃邊舞邊挨近。

眾妖鬼手中均握著某物。

是人手。

是人腳。

是人頭。

是人的鼻子、是耳朵、是頭髮、是腸子、是心臟、是胃臟、是牙齒、是嘴唇。

三個男人的膝蓋哆嗦起來。幾乎要當場跌坐下來的樣子。

挨近的眾妖鬼之一停住腳步。

「怎麼了?」後方的獨眼禿頭妖問。

「噯,我剛剛明明好像看到這裡有人。」獨角妖駐足說。

「什麼?人?」

禿頭妖語畢,風聲便依次傳到眾妖鬼之間。

「有人。」

「有人。」

「有人。」

「有人。」

「有人嗎？」

「聽說有人。」

「噢。」

「噢。」

「噢。」

挨近的眾妖鬼均在此處駐足。

「奇怪，我明明看到有人在這裡。」

獨角妖抽動鼻子挨過來。

其餘妖鬼也同樣抽動鼻子挨過來。

「嗯，有味道。」獨角妖說。

「有味道。」

「嗯，有味道。」

「有味道。」

「是人的味道。」

「是人的味道。」

眾妖鬼在眼前走來走去。

三個男人已經嚇得要死。

童子卻毫不在乎地望著眾妖鬼。

眼眸沒有畏怯神色。

原來妖鬼是這模樣——

他似乎正以如此眼神觀看眾妖鬼。

「也有牛的味道。」獨腳狗用人話說。

「噢，有牛的味道。」

「嗯，有。」

眾妖鬼雖挨得極近，但無法跨入老人布下的結界中。

這時——

受到眾妖鬼驚嚇的牛發出一聲鳴叫。

「噢，是牛。」

「找了半天，原來這裡有牛。」

不一會兒工夫，眾妖鬼便蜂擁趴在牛身上，嘎吱、嘎吱地啃起牛肉，呼嚕、呼嚕地吸吮牛血。

牛搖晃身子發出一陣子叫聲，不久即聽不到那聲音。

之後，在聚成小山般的眾妖鬼身體下，只傳出專心啖噬牛肉或內臟的聲音。

嘎吱、嘎吱，是咬斷牛骨的聲音。

嘎巴、嘎巴，是啃骨頭的聲音。

不久，眾妖鬼散開後，剛剛還在該處的牛已不見蹤影，地面只餘血跡。

「接下來，人在哪裡？」

「在哪裡？」

眾妖鬼再度搜尋四周。也有妖鬼將臉挨近，「哈」地呼出血腥味的呼氣。

這時，一人終於耐不住恐懼，發出一聲「哎呀」。

正是方纔伸腳絆倒童子的男人。

「噢，在這兒。」

「原來在這裡。」

眾妖鬼發出叫聲。

「哇！」

男人大叫想逃走，禿頭妖從上方伸出右手抓住男人後頸。

眨眼間，男人便被抓到結界外。

「噢，是人。」

「看起來很好吃。」

「吃掉吧。」

「吃掉吧。」

眾妖鬼群聚於男人身上。嘎吱、嘎吱地吃起男人。

有妖鬼吸吮男人雙眼。也有妖鬼將嘴巴貼在男人屁股上，吸出裡面的腸子吃。更有妖鬼咯吱咯吱地連骨頭一起吃著手指。

「啊！」

男人的高聲悲鳴隨即奄奄無力，最後消失了。

童子始終很冷靜地觀看男人被啖噬的光景。

原來妖鬼是如此啖噬人？

他的眼神如是說。

喀、喀、咕嘰、咕嘰，連骨頭一起啃咬的聲音終於停止。

「太好吃了。」

「嗯，很好吃。」

眾妖鬼散開後，地面只剩男人方纔所穿的窄袖服碎片，以及若干血泊。

不僅連肉帶骨，從頭髮到牙齒都被眾妖鬼吃個精光。

「可是，還有人的味道。」

「嗯，有。」

「某處應該還有人。」

「不過看不見。」

「看不見的話就沒辦法了。」

「嗯，沒辦法。」

「沒辦法。」

「沒辦法。」

眾妖鬼一個接著一個離開童子身旁，跟來時一樣，握著人手人腳，往北走向朱雀大路。

直至眾妖鬼完全消失蹤影，老人才說：

「可以了。」

聽到那聲音，兩個男人當場跌坐下來。

童子卻面不改色站在原地。

「多虧你救了大家。」老人鬆一口氣說：「晴明，若非你告訴我，此刻我們都已喪命了……」

老人賀茂忠行向童子如此低語。

二

有個老人躺在朱雀門下睡覺。

蓬亂如麻的長髮，一半以上都發白了。鬍鬚也任其生長。

身上穿著破爛便服。

既骯髒又處處破破爛爛。本來似是白色衣服，但現在已因汗水及塵埃而髒得無法想像其本來顏色。

老人熟睡的朱雀門屋簷下，照落微微星光。

方纔掛在西方上空的細長月亮，已快要沒入山脊。

銀河看來很漂亮。

隱約發白的天空薄光，似乎更襯托出朱雀門的深濃黑暗。

而躺在門下睡覺的老人所在之處，也看似盤踞著漆黑人形。

不知哪一根柱子的根部似乎有蟲，裡面傳出微弱蟲鳴。

老人赤足。雙膝之下皆裸露著。

接著——

突然，老人微微動了一下。睜開方纔緊閉的眼皮。

眼皮下出現發著黃光的雙眸。

老人慢條斯理起身。

他將臀部靠在柱子底部，抬起臉。眼前可見朱雀大路。

大路的另一端，有物體朝朱雀門挨近。

那物體身上裹著盤踞地面的霧茫茫黑雲，逐漸挨近。

坐在地上的老人，炯炯發光的雙眼望著那挨近的物體。

「是妖鬼啊……」老人低聲自語。

百鬼夜行——

原來是無數妖鬼順著朱雀大路自南方北上。

倘若就那樣過來，正好會來到老人身處的朱雀門。

獨眼禿頭妖、巨大蟾蜍。

獨腳狗、雙頭女人們。

獨角、雙角妖。

這些妖鬼逐漸朝老人所在的朱雀門挨近。

眾妖鬼大多手中握著肢解的人體部位——頭、手、腳、內臟。

明明眾妖鬼正逐漸挨近，老人卻毫無逃離的打算。

他依舊坐在地上，雙肘擱在雙膝上，下巴擱在如花張開的雙手上，興致勃勃望著逐漸挨近的眾妖鬼。

眾妖鬼終於來到朱雀門前，駐足。

「喂，有人的味道。」說話的是獨眼禿頭妖。

「什麼？又有人？」

「嗯，有味道。」

獨腳狗和雙角妖說。

「的確有味道。」

「嗯，有味道。」

「有味道。」

眾妖鬼再度抽動鼻子聞起來。

老人很感興趣地望著眾妖鬼。

獨眼禿頭妖挨近，吃驚般說：

「哇，這兒有人。」

「什麼？」

「什麼？」

「有人嗎？」

「有嗎？」

眾妖鬼蜂擁聚集在朱雀門下。老人揚起兩端嘴角，得意地微笑。

「噢。」禿頭妖大叫：「是個骯髒老頭子。」

「這兒有個老頭子。」

「而且這傢伙還在笑？」

「嗯，在笑。」

眾妖鬼各自說。

「爲什麼不逃？」

「眞是奇妙的老頭子。」

雙頭女交互說。

「有味道……」老人低聲說：「有味道。你們在某處啖噬了人吧。」

老人露出黃牙笑著。

「噢。」

「剛才吃掉一頭牛和一個人。」

「你也要讓我們吃嗎？」

眾妖鬼如此說。

「算了吧……」

老人緩緩站起，以他站立的身姿看來，腰也還沒彎。是個半老男人。

老人在頭和身體四處搔癢，說：「吾人不好吃。」

又轉向眾妖鬼問：「吃了一頭牛和一個人，難道還不夠嗎？」

「噢，我們還沒吃飽……」

眾妖鬼正要逼近老人時，有個妖鬼叫出來：

「我知道了。」是馬首妖，「這傢伙是那個老頭子。」

「什麼?!」

「忘了是哪時，這老頭子跟小野篁大人③來到冥界，曾經耍過我們一場……」

「噢，原來是那時的老頭子啊。」

眾妖鬼似乎想起某事，開始嘁嘁喳喳。

「他叫什麼名字？」

「好像是道滿……是不是叫道滿？」

「是蘆屋道滿。」

「噢，是道摩法師？」

眾妖鬼發出叫聲。

「當時這傢伙冒充我潛入冥界。」馬首妖說。

③小野篁，八〇二—八五三年，平安時代前期的學者、歌人。

「舊時的事了，你竟還記得。」老人（即蘆屋道滿）說。

「噢，這個道滿傢伙，曾讓我吃過苦頭。」有腳的蛇說。

「我那時不吃不喝工作了十天，結果沒得到任何謝禮。」雙角紅鬼說。

「我也是。」

「我也是。」

如此說的妖鬼接二連三出現。

道滿低聲咯、咯、咯地笑出來。

「饒了吾人吧，當時眞是抱歉啊……」

「胡說，你根本不認爲對不起我們。」

「無所謂，反正現在只他一人。」

「吃掉吧。」

「連骨頭都不剩。」

眾妖鬼打算逼近老人。

「算了，這老頭不能吃。」獨角妖說：「別管這老頭了，我們還是先做完我們的工作吧。」

「不行，不聽。」

「下次大概再也碰不到這種好機會了。」

「現在就吃掉。」

「噢。」

正當眾妖鬼欲抓住道滿時——

突然有某物出現在眾妖鬼和道滿之間。

是右手提著白晃晃大劍，全身裹著盔甲的毘沙門天④。身高九尺。

「哇！」眾妖鬼大叫，跳到後方。眾妖鬼雖一時畏縮不前，卻並非所有妖鬼都如此。

「怕什麼，毘沙門天怎麼可能爲了這低賤之人出現？」

「一定是道滿的妖術。」

雙角妖和獨腳狗說。

「別被迷惑了！」在半空飛的頭顱大叫。

這時，又有某物出現在毘沙門天一旁。

是持國天⑤。也是全身裹著盔甲。

然而，他手中握的不是劍，而是桃子⑥。

「哇！」

「唔。」

「持國天大人手上有桃子。」

---

④佛教護法神之一，也是須彌山北方守護神，別名「多聞天」。

⑤佛教護法神之一，也是須彌山東方守護神，與多聞天、增長天、廣目天並稱四大天王（金剛）。

⑥日本神話《古事記》中，伊邪那岐命曾取黃泉比良坂桃子擊退黃泉之軍，故後世認為桃子有祛邪之效。

眾妖鬼往後退。

「怎麼?不打嗎?」道滿說。

「對手可是我們二天大人。」

毘沙門天和持國天跨前一步。

「唔。」

「唔、唔。」

「唔、唔、唔。」

眾妖鬼雖很想撲向道滿，卻辦不到。

「算了算了，跟這老頭扯上關係，成事不足敗事有餘。」

獨角妖如此說時，毘沙門天舉起手中的劍，往横一掃。

「哇!」

「噢!」

眾妖鬼發出叫聲往旁跳開，有幾名已往西拔腿飛奔。

一名、兩名，妖鬼數逐漸減少。

「畜牲!」

「沒、沒辦法。」

「道滿，今晚就暫且饒了你。」

欲撲向道滿的眾妖鬼說。其間，妖鬼數已減半。

「改天一定要啖噬你的肝臟。」

「我要吸吮你的眼珠。」

剩下的妖鬼如此說後，轉身背向道滿。

眾妖鬼吵吵嚷嚷地離去，往西行進。

過一會兒，不知何時已不見任何妖鬼身姿。

呵。

呵。

道滿似乎很愉快地笑著伸出右手，毘沙門天和持國天隨即失去蹤影。

道滿伸出的右手中，擱著兩座毘沙門天和持國天的小木雕像。

道滿將兩座木雕像收進懷中，嘴角仍浮著笑容低聲道：

「啊呀，這下可完全醒過來了。」

仰望上空，銀河高掛中天。

道滿移動腳步想回到剛剛躺著的地方時，半途停了下來。

他看到某物掉落在方纔眾妖鬼聚集的朱雀門前地上。

一步、兩步、三步，道滿挨近停在那東西前。

「這是……」

是人的手臂。是條右臂，膚色已變、即將腐爛。是眾妖鬼手中所拿的肢解人身一部分。

大概在逃開時掉落的。

「唔。」

道滿不知做何打算，竟彎腰拾起那條手臂。

雙手握著的那手臂在道滿手中蠕動了一下。

那手臂冷不防緊緊抓住道滿左臂。

長指甲的手指啃咬般潛入道滿手臂肉中。

「唔……」道滿發出叫聲。

接著道滿捧著那手臂，開始低沉地徐徐笑出來。

咯、咯、咯，愈笑愈大聲。

「原來如此。」道滿說，「原來如此，你餓了？」

道滿向那手臂說：

「吾人的肉若可以，吃吧。喂……」

道滿發出高興得令人悚然的聲音。

「喂，可愛的傢伙啊……」

卷一 妖物祭

一

藤原治信仰躺在被褥上呻吟。

他痛苦地扭動身子，咬緊牙關。齒間發出呻吟。

因忍耐疼痛而扭曲著臉龐。

枕邊點燃的燈火將治信扭曲的臉照得通紅，表情看起來很駭人。

腹部高高鼓脹，致使衣服合攏處微微敞開，隱約可見肌膚。

治信把頭向右甩，接著向左甩，雙手雙足動個不停。似乎因過於痛苦而情不自禁地晃動手足。

他只在大口呼吸時才會停止咬牙。有時張口咻呼、咻呼急促喘氣，之後再度咬緊牙關。

幾個下人圍繞在仰躺的治信身邊，每張臉都看似傳染上治信的表情，緊咬牙齒，雙唇扭曲。

圍在治信身邊的眾人中，只有一人唇角浮出笑容。

他不是下人。

是外人。

只有那人唇角，浮現看似愉快的微笑。

是個老人。

「噢。」

老人坐在枕邊，俯視治信發出聲音。

「還真養得很肥美啊！」

白髮、白髯。

一頭長髮雜亂如飛蓬般隨意發長，髫鬚也長至胸前。

身穿破爛便服。

本來似乎是白色，現在卻骯髒得幾乎無法想像其本來顏色。

周身飄蕩著一股臭味。

看上去像乞丐，卻又不是。

若說他是乞丐，他卻態度堂堂，毫不卑躬屈膝。

雙眸炯炯發光。

老人——正是蘆屋道滿。

「太好了，幸好吾人在——」道滿俯視治信說，「一般陰陽師或咒術師，可是無法袚除這東西的。」

道滿伸手至治信腹部，說聲「失禮」後敞開衣服合攏處。

露出凸起的鼓脹腹部。

腹內似乎有某種生物，表層的肉正在起伏蠕動。

道滿用手撫摩腹部表面，笑道：

「好、好，馬上讓你舒服。」

是很明顯的笑容。

他將一旁的破爛布包拉過來，擱在膝前，解開結。

破爛布包展開，裡面出現個覆著褐色獸毛的東西。

一股難聞的腥臭味沖鼻而來。

道滿若無其事地取出那東西。

「那、那是什麼？」下人問道滿。

「是牛的生皮。」

「牛的生皮？」

「從活牛身上剝下牛皮製成的袋子。」道滿滿不在乎回道。

「生、生……」

眾下人的眼神露出恐懼。

然而，道滿一點也不在意。

「若內側鮮血還未乾，可能會弄髒房間，這樣可以嗎？」

下人發不出聲音。

「這樣可以嗎?」道滿再度確認。

道滿以炯炯發光的雙眼,瞪視圍在治信身邊的眾人。

「可、可以。」下人被道滿的氣勢鎮住,點頭說。

道滿以左手舉起生牛皮製成的袋子。仔細一看,袋口用繩子綁住。道滿右手握住繩子一端。

繩子相當長。

道滿仰望天花板,喃喃說一句:「噢,剛好上面有橫梁。」

語畢,起身。

咻!他拋出握在右手的繩子,繩端穿過橫梁上方再落下來。

道滿握著繩端,調整長度後,袋子剛好懸掛在離治信腹部約一尺的上空。

袋子大小大約可以輕易裝入兩個人的頭顱吧。

只是,袋子扁平,看來裡面似乎沒裝任何東西。

「這裡面裝了什麼東西嗎?」一名下人戰戰兢兢問。

「目前還未裝任何東西。」道滿說:「現在正要開始裝。」

道滿坐下來。

「接下來……」道滿望向剛好吊在眼前的生皮袋子,「應該快了……」

他如此低語時，袋子底部滴落某種液體於治信腹部。

是鮮血。

鮮血落在腹部時，腹部的肉立即簌簌蠕動起來。

滴落的鮮血，在腹部咕嘟滾開般發出水泡，旋即吸入腹中消失。

「呵，呵呵……」

道滿欣喜地發出叫聲。

「原來如此，原來如此……」

道滿從懷中取出五根針。長約六七寸。他左手握針。

突然——

袋子底部再度滴落牛血於腹部。

不知是不是袋內的鮮血往下流，聚集在底部，鮮血開始滴滴答答持續落在治信腹部。

道滿將右掌貼在腹部，在腹部揉搓鮮血使其擴大。

治信腹部在道滿手掌下，蜿蜿蜒蜒，起起伏伏，激烈蠕動起來。

揉搓的鮮血陸續消失於腹中。

治信翻著白眼呻吟不止。

旁觀的人停止呼吸。

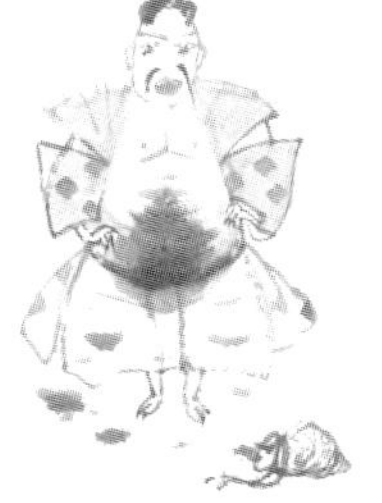

話也說不出來。

「應該快了。」道滿說，右手砰砰敲打治信腹部，「忍耐一下。」說畢，右手握住一根針。

他在治信下腹——肚臍下約二、三寸之處，噗一聲扎下針。

「你、你做什麼？」下人叫出聲。

「忍耐、忍耐。」

道滿抿著嘴笑，橫啣住剩餘的四根針。

從口中抽出一根針，「吩」一聲，這回將針扎在肚臍上約三寸之處。

又將兩根針扎在肚臍左右，四根針圍住肚臍。

右手指捏住最後一根針，左手指貼在針尖，口中小聲喃喃唸起咒文。

聽不清他在唸什麼。

聲音低沉。

治信的腹部顫抖般哆哆嗦嗦蠕動。

可是，那顫抖已非擴展至整個腹部的顫抖了。只有用四根針圍住的肚臍內側在蠕動。

唸完咒文，道滿將最後一根針，噗一聲扎進肚臍中央。

瞬間，腹部的顫抖及蜿蜒蠕動都停止。

燈火下只映出鼓脹如山的腹部。以及，五根針。

道滿唱歌般如此說，右掌食指指尖貼在扎在下腹的針頭上。

「快出來了、快出來了。」

再度低聲唸起咒文。

咒文跟方纔的似乎不同，但到底有何不同，下人已分辨不出。

道滿邊唸咒文，邊移動指尖，以右手食指指尖逐次觸摸扎在腹部的針頭。

每逢道滿指尖一觸摸，針便微微抖動。

下、上、左、右——指尖按著剛剛扎針時的順序移動。

然而，只不觸摸扎在肚臍中央那根針。

指尖幾度巡迴四根針後，冷不防，道滿抽出中央的針，「呼」一聲地在腹部吹氣。

結果——

治信的肚臍及其四周，眨眼間變成黑色。

剎時，看到某樣東西。像是牙齒。也像是嘴巴。

當肚臍四周出現像是獸嘴的東西時——

懸掛半空的袋子底部也滴答掉落鮮血。

瞬間，黑色物體衝出治信腹部。

那黑色物體像是追趕自上而落的鮮血般，從下方咚一聲撲向袋子。

道滿似乎正在等待這一刻，說了句：「看吧。」便從懷中取出一張符咒，貼在袋子上。

方纔爲止還凹癟的皮袋，彷彿裝入某物般鼓脹起來。內部似乎有某物竄動著，袋子蜿蜒蠕動。

「唔……」

「治信大人的腹部……」

下人發出叫聲。

不知何時，治信的腹部已縮水般變得平坦。

眼前只是個男人的鬆弛腹部。

總之，雖不知是何物，剛剛還在治信腹中的那物體，好像已離開腹中，進入吊在上空以牛生皮製成的皮袋內。

「結束了。」道滿若無其事說。

他站起身，解開綁住的繩子，卸下懸空袋子，提在手上。

而至此爲止翻著白眼呻吟不止的治信，則一副莫名其妙的表情，用右手撫摩自己已平坦的肚子。

「道、道、道滿……」治信說。

「結束了。」提著袋子的道滿，俯視治信說。

「唔，唔唔唔……」治信依舊撫摩肚子，撐起上半身。「到、到底裝了什麼東西？裝了什麼……」

道滿將袋子遞到治信眼前，捏住打結的繩子問：

「要看嗎？」

治信悚然地縮回腰身，慌忙道：

「不、不用、不用，不用看。」

「大人是不是在哪兒冷待了某位女子……」

「女、女子？」

道滿以試探眼神問治信：「對方相當恨你。」

「你是說，那女子恨我？」

「是。」

「是她、她詛咒我？」

「是。」

「哪裡的女子？」

「這個，治信大人應該心裡有數吧？」

「唔，唔……」
「人數太多，猜不出是誰嗎？」
「男女間的事，不是人之常情嗎？竟、竟然……」
「大人說的沒錯。女人憎恨不再愛自己的男人，也是人之常情啊。」
「什、什麼?!」
「兩個月、三個月過後，可能又會發生這種症狀。到時候，只要再叫吾人來，吾人將跟今天一樣，爲大人袚除妖物。」
「道、道滿……」治信以求救眼神望著道滿。
「男人逃離女人是男人的自由，女人憎恨男人也是女人的自由——既然都是雙方的自由，吾人也沒法解決了……」
道滿左手提著皮袋，伸出右手。
「什麼?!」
「事前說好的。」道滿說：「金子。」
一名下人起身，從懷中取出紙包。將紙包擱在道滿右掌上。
道滿將紙包收入懷中，頷首說：「打攪了。」又舉起左手提的袋子叮囑似的問：「這個，吾人要帶走，可以嗎？」
沒人回應。

道滿視之爲應允，行了個禮，得意笑笑。

「那麼，吾人就帶走了。」

語畢，跨開腳步。

來到窄廊，步下階梯，走至夜色庭院。

「月亮很美……」

道滿將袋子掛在肩上。

徐徐跨開腳步，不一會兒，身子即消失於黑暗中。

二

月光中，櫻花樹枝搖曳著。

有微風。

樹枝因繁密盛開的櫻花重量，比平常垂得更低。

那樹枝在微微搖曳。

一片、兩片，花瓣離開樹枝，在半空飛舞。

離花瓣眞正開始凋落，大概還需幾天。

月影映在櫻花上，令花瓣看來有些微藍。

此處是位於土御門大路的安倍晴明宅邸。

晴明和博雅坐在窄廊上飲酒。

晴明寬鬆裹著白色狩衣，背倚柱子，坐在可以望見右邊院子之處。支起右膝，右膝上擱著握著酒杯的右手手肘。

晴明膚色白皙得像個女人。

嘴唇紅得如塗上胭脂。

唇角浮出微笑。

是似有若無的笑容。晴明唇角，經常掛著那笑容。

像是唇角含著花香的笑容。

偶爾將酒杯送至唇邊，但晴明幾乎默不作聲。

只是閒情逸致地喝酒。

博雅與晴明相對而坐，望著夜晚的庭院。

博雅眼中，映著櫻花。

窄廊上，孤零零擱著個盛酒的瓶子。

身穿淡紫色十二單衣的蜜蟲坐在一旁，當兩人酒杯空了，她便伸出白皙手指取起酒瓶，往空酒杯內斟酒。

晴明的鳳眼，瞇得比平常更細，與博雅一樣望著夜櫻。

兩人附近，點著一盞燈火。

燈火映在晴明白色狩衣上，左右搖曳。

兩人交談的話語很少。

不須多說，博雅與晴明之間似乎也能契合。

將酒杯送至唇邊，含了一口酒，博雅陶醉地歎了一口氣。

再徐徐將空酒杯擱回窄廊。

「好舒服的夜晚……」博雅喃喃自語。

晴明將視線移向博雅。

「這櫻花開得很美不是嗎？晴明。」

「嗯。」晴明低聲點頭。

「可能的話，我眞想像那櫻花一樣，當我自己。」

「是嗎？」

不只視線，這回晴明將臉龐轉向博雅。

博雅察覺晴明望向自己，說：

「怎麼了？我說了什麼奇怪的話嗎？」

「不，你沒說什麼奇怪的話。」

「那，怎麼了？」

「因爲你剛剛說了很有趣的話，博雅……」

「有趣的話？」

「你不是說，正如櫻花是櫻花一樣，博雅也想當博雅嗎？」

「我說了嗎？」

「說了。」

「可是，晴明，爲何這話有趣？」

「人，很難如你剛剛說的那般活在這世上。」

「唔。」

「即使有人視某人爲榜樣，想活得跟那某人一樣，也沒人會想活得像自己。」

「是這樣嗎？」

「是這樣。」

「不知怎麼，我很喜歡櫻花綻開的方式，也很喜歡櫻花凋落的方式。」

「是嗎？」

「它們認眞綻開，也認眞凋落。櫻花，因綻開爲櫻花而完成身爲櫻花的某種使命，然後再以櫻花的形狀離開枝頭凋落……」

「嗯。」

「無論從哪個角度看，櫻花就是櫻花。櫻花，只能如櫻花般開花。也只能如櫻花般飄落。眞是的，櫻花怎麼能那麼完美地做櫻花呢？」

「……」

「想到這點，我才認爲自己也很想像櫻花那般，想當自己……」

「……」

「你想想看，晴明。」

「想什麼？」

「其實並非只有櫻花。正如櫻花能像櫻花那般完成自己的任務，梅花不也一樣完成了自己的任務嗎？」

「唔。」

「蝴蝶像蝴蝶那般完成了。牛像牛那般完成了。鷺鷥像鷺鷥那般完成了。水，水也像水那般……」

「博雅也像博雅那般……」

「不要提我，晴明。」

「爲什麼？」

「會讓我坐立不安。」

「有什麼關係？這可是你先說的，博雅。」

「我先說的？」

「嗯。」

「不，或許的確是我先提起這話題，可是……」

「可是什麼？」

「還是算了。」

「算了？」

「嗯。再跟你繼續講下去，不知你哪時又會提起咒。到時候，我想，今晚充滿在我心中那美好感覺，恐怕會消失。」

「是嗎？」

「話又說回來，晴明……」博雅舉起不知何時斟滿的酒杯道。

「什麼事？」

「最近京城好像發生很多怪事。」

「嗯。」

「老是有人拐走或殺死身懷六甲的女子……」

「聽說是這樣。」

「五天前夜晚，不是也有怪賊闖入小野好古①公卿府嗎？」

「嗯。是那起沒偷任何物品的竊盜案吧？」

①小野好古，八八四—九六八年，平安時代中期公卿，小野篁之孫。

「那事也傳進你耳裡了？」

「聽說那盜賊，雖闖入好古大人宅邸，卻沒偷走任何東西就走了？」

「是啊。從那以後，好古公卿的健康似乎不好。」

「是嗎？」

「眞是的，沒想到這世上眞有那種怪賊。」

「博雅，有關那沒偷任何東西的怪賊，你還知道什麼更深的詳情嗎？」

「知道，是好古大人直接說給我聽的。」

「到底怎麼回事？」

「是這樣的，晴明……」

語畢，博雅開始述說五天前那晚的來龍去脈。

三

五天前那晚——

熟睡中的小野好古，聽到男人聲音而醒來。

「起來。」

男人聲音如此說。

然而，好古仍不認爲那是現實。

「起來吧，好古大人。」

有人搖晃好古肩膀。

因此，小野好古醒了過來。

「什麼事？」

睜開眼睛，好古發現睡前熄滅的燈火竟點燃了。

待他將視線從燈火移向上方，才察覺頭的正上方處站著個黑影。

「有歹人……」

雖開口大叫，但臉頰被冰冷東西貼住，只好噤口。

因他明白那貼住臉頰的東西，是刀尖。

轉動眼珠，看到刀身上映著燈火之色。

「是誰？」好古低聲問。

「噢。」影子讚歎般出聲。

他沒想到好古竟還能發出沉著聲音。

參議，小野好古。

雖已七十出頭，卻在承平、天慶之亂②時，被任命爲山陽③、南海④兩道追捕使⑤，鎮壓了叛亂。

---

②指九三五—九四一年，平將門之亂。

③包含現日本中國地方瀨戶內海沿岸，兵庫、岡山、廣島、山口四縣等地。

④包含現和歌山、淡路島及四國四縣（德島、香川、愛媛、高知四縣）等地。

⑤中央政府為鎮壓叛亂，臨時設置的官。

他抬眼一看，發現盜賊用黑布裹著頭部藏住臉。

從外邊僅能看見眼睛。

「起來。」

好古緩緩從被褥上起身。

起身後，好古才察覺還有其他人的形跡。

燈火照不到的幔帳後、房間角落，正如黑暗深濃盤踞那般，蹲踞著某物。

有一個、兩個、三個——

這些黑影不知有無呼吸，毫無任何聲響。只有形影。

好古心想：儘管如此，宅邸內另有負責好古身邊瑣事的人，以及其餘男女總計約十人。

這麼多盜賊闖入，爲何沒人醒來？或者，都被殺了？

「其他人呢？」好古問。

「放心吧，還活著。」影子回道：「只是，不到早上不會起來。」

奇怪——聽影子如此說，好古內心萌生疑問。

雖不知盜賊用何方式，但看來其他人都睡著了。既然如此，爲何自己沒被催眠？若他們是來行竊，讓自己也睡著不是比較好辦事？

「有什麼事？」好古問。

「我們在找東西。」影子答道。

「找東西？」

「你這兒應該有雲居寺⑥託你保管的東西。」

「雲居寺託我的東西？」

「你應該記得。」

怪了——好古想了一會兒，說：「沒有。」

「怎麼可能沒有？你藏到哪兒？」

刀身又貼在好古臉頰。

「沒有就是沒有。」

「你說的是實話？」

「我到底保管了什麼東西？」

「箱子。」

「箱子？」

「不，也許是袋子。」

「你們連箱子或袋子都不知。那裡面裝什麼？」好古說。

影子默不作聲。刀身離開好古臉頰。

⑥舊址位於今京都東山區高台寺附近，現已不存。

「算了。我們家宗姬會親自問你。到時候，就知道你到底說謊還是說實話。」

影子還未說畢，庭院已傳來聲響。

咯吱……

是某物受壓擠的聲音。

咯吱。

咯吱。

聲音逐漸挨近。是牛車。牛車車軸壓擠的聲音。

咯吱。

咯吱。

咯吱。

聲音愈來愈大。

與之同時，也傳來牛車碾過地面的聲音。

咕咚。

咕咚。

咯吱。

咯吱。

咕咚。

咕咚。

聲音漸漸挨近。

好古望向庭院。眼前有窄廊，窄廊彼方是暗夜中的庭院。

庭院看似被月光淋濕了。

在那兒——咯吱，咕咚，出現了車。是牛車。檳榔毛車⑦。

可是，拉曳車子的不是牛。

好古起初看成牛。黑牛。

然而，說是牛，外形又過於走樣。不是牛的形狀。

雖有月光，卻是夜晚。形狀並不明確。

但那動作不是牛的動作。而且腳也比牛多。

咕咚。

牛車停在庭院。

之後，好古才首次看清那到底是什麼。

看清時，好古差點叫出聲。全身寒毛直豎。

那是隻大小如牛，漆黑的巨大蜘蛛。

車主讓蜘蛛頂著橫軛，拉曳著車。蜘蛛的八隻紅眼，在黑暗中妖蠱地閃

⑦車身用曬白割細的檳榔樹葉鋪貼製成，亦稱「毛車」。是親王、大臣、女官、高僧、公卿等的公務車。

閃發光。

車主從車廂後部下車。穿過庭院跨上階梯，站在窄廊上。是個女子。身穿十二單衣。

她頭上深深罩著絲綢披衣，因背對月光，白色披衣可以清晰得見，卻看不清披衣影子下的臉⑧。

只能看到在夜裡也看得清的白皙下巴和鮮血般紅脣。

「好古大人。」

那嘴脣動了。

「東山雲居寺有無託你保管什麼東西？」

女子重複方纔黑影的問話。

「不、不知道。我完全不知道你們在說什麼……」

「若隱瞞，對你不好……」

女子的紅脣往左右撇開，露出白牙。在好古看來，女子似乎笑了。

「到底是什麼時候的事？我到底什麼時候替雲居寺保管了什麼東西？」

好古問。

女子沒回應。

她似乎在披衣影子下，目不轉睛觀察好古的模樣。

⑧日本古代貴族女子不能露出臉，出門時都在頭上罩著一件單衣。

「讓我們看看。」女子說。

女子身體隨風飄動般，咻地動起來。

她在窄廊往左走。止步，仰望天花板，再俯視地板——

「不是這兒……」女子喃喃自語。

再度跨步。然後再度止步，說著同樣的話。

「也不是這兒……」

女子無聲地在宅邸內四處走動，喃喃自語：

「也不是這兒……」

那聲音，自四周傳來幾次。不久，女子回來了。與方纔一樣站在窄廊，低聲道：

「看來眞的不在這兒……」

女子嘴脣笑開了。

「太好了，假若你說謊，本打算吞噬你。」

竟說出如此駭人的話。

她在披衣下凝望好古般問：

「這兒似乎沒有，你沒藏在其他地方嗎？」

「不知道。」好古說。

「日後若得知你說謊，我們會再來……」

說畢，女子背轉過身。鑽進牛車。

咯吱……

咕咚。

牛車開始往前動。蜘蛛的八隻腳也不停地動。

黑影收起刀，用繩子綁住好古手腳。

「用牙齒解繩子可能會花很多時間，最好等到早上，讓第一個醒來的人幫你解繩子——」

影子跳下庭院追趕女子搭乘的牛車。

蹲踞在黑暗中的形跡也動了，似乎都各自下到庭院去。

咯吱。

咯吱。

咕咚。

咕咚。

牛車逐漸駛去。

此時早已看不到車子和每個影子。

咯吱……

咯吱……

只能聽見牛車漸行漸遠的聲音。

之後……

四

「早上下人醒來後，才救了好古大人。」博雅說。

「唔。」晴明手指頂住下巴，低聲道：「這事很有趣。」

「喂，晴明，你說此事有趣，這樣好嗎？」

「無所謂。反正沒人受傷，也沒失竊什麼東西吧。」

「話雖這樣說……」

「這相當有趣。」

「晴明，難道你明白了什麼……」

「不，我沒說明白什麼。我只是說這很有趣。」

「我很在意好古大人說的那位罩著披衣的宗姬，到底想找什麼東西。」

「嗯。」

「那以後，好古大人似乎都沒事，但若有什麼事，晴明，他可能會傳喚你。」

「是嗎?」晴明望向庭院的櫻花。

「喂,晴明,你在聽我說話嗎?」博雅轉向晴明。

「也許你還想說什麼,但待會兒再說……」

「什麼?」

「好像有客人來了。」晴明道。

聽晴明如此說,博雅也望向晴明的視線方向。

那兒有株櫻樹。

月光中,可見櫻花花瓣一片、兩片地飄落。

櫻樹下,似乎有某物。是黑色野獸。

有頭漆黑老虎在盛開的櫻花樹下。

像青色,又像綠色的兩個金綠色眸子,在黑暗中瞪視晴明和博雅。

有個男子側身坐在那黑老虎上。

男子掛著微笑,凝望晴明和博雅。

「保憲大人,原來是你來了。」晴明說。

「好久不見了,晴明。」

坐在黑老虎上的男子——賀茂保憲微笑說。

黑老虎載著保憲，自櫻樹下緩緩步出。

老虎駐足於窄廊下。

「有什麼事嗎？保憲大人。」

「嗯。」保憲點頭，從老虎背下來，說：「我有事請託晴明……」

五

道滿在月光下信步而行。

肩上掛著用繩子綁住袋口的皮袋。

皎潔月光，在道滿腳邊映出道滿自身的影子。

道滿停住腳步。此處是大水池旁。

水池周圍有松樹、楓樹。

道滿站立的一旁，有一株老柳樹。

剛萌芽的柳樹，樹枝搖來晃去，碰觸道滿肩膀。

鴉雀無聲的水面映著月影。

道滿從肩上卸下皮袋，打開袋口。裡面蜿蜒爬出黑色粗大之物。

道滿用右手抓住那東西。

「喂，別亂動。」

道滿蹲下來，將右手中那東西，徐徐放入水中。再鬆開手。

那東西在水面游走。隨著那東西委蛇前進，平靜水面的波紋也逐漸擴大。

突然——

映在水池中央的月影散亂了。

水面隆起，出現波浪。似乎有某個龐大物體在水面下游泳。

啪嗒……

類似尾巴拍打水面的聲音響起。

「看吧，吾人給你帶餌食來了……」道滿微笑著喃喃自語。

水池中央水面下有某物挨近道滿放入水中的東西。

啪嗒！

水面濺起激烈水花。

水中突然出現某物，張口咬住在水面游泳的那東西。

巨蛇般的物體在月光中仰起頭。口中咬著方纔在水面游泳的那東西。

「噢，好吃嗎？好吃嗎……」道滿揚起左右嘴角。

那蛇般物體吞下口中咬的東西後，隨即又沉入水中。

水面騷然地搖晃了一陣子，不久，紊亂波浪平靜下來，恢復原狀的澄清水面，只剩月亮影子。

六

三人喝著酒。

除了晴明和博雅，又多了個保憲。

保憲身旁，蜷曲的黑貓熟睡著。

保憲所乘的黑老虎，原形正是這隻貓。

並非普通的貓，而是保憲的式神「貓又」⑨。

「最近老是發生怪事……」保憲將酒杯送至嘴邊說。

賀茂保憲──是晴明師傅賀茂忠行的長子，與晴明是師兄弟。

歷任天文博士、陰陽博士、曆博士及主計頭⑩，現任穀倉院之長。官位從四品下。

「的確，好像愈來愈騷動起來了。」晴明點頭。

「你聽說闖入小野好古大人宅邸那些盜賊的事嗎？」

「剛剛正和博雅大人談起。」

⑨尾巴分岔的妖貓。

⑩計算各種稅金、掌管國庫的部門，「頭」是最高長官。

「據說大家稱之爲不偷東西的盜賊。」

「是。」

「那，最近流行的女子慘遭殺害的事呢？」

「這也聽說了。據說都是懷孕女子，最近一個月來，已有八人遇害。」

「是九人。」

「是嗎?!」

「今天中午，發現了第九位犧牲者。」

「地點呢？」

「鞍馬山中。」

「鞍馬？」

「是朝廷裡的女官，因懷孕回到貴船娘家，兩天前失蹤了。」

「結果……」

「有個到鞍馬燒炭的男子，在山中發現一具女子屍體。正是那失蹤女子。」

「也是懷孕女子?」

「嗯。死得很慘。凶手割開女子腹部，掏出腹中嬰兒。」

「那嬰兒，是男嬰?還是女嬰？」

「是男嬰。」
「男嬰腹部有傷口嗎？」
「有……」保憲有所示意地望著晴明。
「原來如此。」
「眞是件令人難受的事。」
「在即將舉行和歌競賽這時期，淨是發生此不幸的事。」博雅說。
「那，今晚你來的目的是爲了此事？」晴明問。
「不、不是。」保憲將酒杯送至嘴邊，再擱回窄廊。
「什麼事？」
「你認識平貞盛大人嗎？」
「若是碰面，會打招呼的程度……」晴明說。
「那男人跟忠行多少有點因緣……」保憲盤起腿，探出身子。
保憲稱父親賀茂忠行爲「忠行」，稱平貞盛爲「那男人」。
保憲有時會這樣稱呼。
跟晴明稱呼皇上「那男人」的口氣類似。
「我曾經聽過。是玄德法師物忌⑪那事嗎？」
「對，正是那事。」保憲拍了一下膝蓋。

⑪為避免災害而閉門謝客。

事情是這樣的。

七

當時——十七、八年前。

下京那附近住著個存點小錢的玄德法師。

這玄德，幾次夢到相同的夢。

夢中出現過世的父親，說：

「危在旦夕。」

「危在旦夕。」

最初他不放在心上，數日後又夢到相同的夢。

過世的父親又出現夢中。

「危在旦夕。」

「危在旦夕。」

他將嘴唇緊緊貼在睡著的玄德右耳，如此竊竊私語。

「危在旦夕。」

「危在旦夕。」

四次都做了相同的夢。

玄德心裡發毛，決定請陰陽師占卜夢的吉凶。

這時，玄德拜託的人正是賀茂忠行。

「從今天開始整整七天，你務必徹底實行物忌。」忠行如此說：「否則會因盜賊而喪命。」

忠行向玄德說，可能會遭盜賊襲擊而被殺。

玄德立即回到宅邸，進入物忌。

他緊閉大門，無論任何人都不准對方進屋。

如此，第七天——

傍晚，有人敲門。

然而也不能因有人來訪而開門。玄德不回應，躲在家中。

他以為來客大概會死心歸去，但訪客反倒激烈敲門。

玄德命下人自門內問對方。

「是哪位？」下人問。

「是平貞盛。」對方回道。

平貞盛，是玄德的老友。可是，即便是友人也不能隨意開門。

「主人玄德目前正處於嚴謹物忌中。」

下人向門外說，若有事，小的代主人在此恭聽。

結果，貞盛說：「今天是我的歸忌日。」

所謂「歸忌日」，觀念跟物忌類似，但必須做與物忌完全相反的事。忌諱回家——也就是說，物忌是禁止外出且禁止開門讓外人進屋，歸忌則是禁止歸家。

碰到歸忌日，當天不能回家，必須在別人家過一夜，翌日才回家。

「現在已快入夜了……」

貞盛說，務必讓他今晚在玄德家過夜。

「可是，主人嚴禁我們開門。」下人道。

「這樣嚴守物忌，到底是什麼物忌？」貞盛問。

下人在門內說明事由，並向貞盛說：

「占卜出現可能遭盜賊闖入而喪命的結果，所以才如此嚴守物忌。」

貞盛聽後，在門外哈哈大笑。

「既然如此，為何趕我回去？」他以響亮聲音說：「既然是這種事，不是更應該叫我來，讓我守在屋內嗎？」

玄德聽下人轉告貞盛的話後，覺得有道理，親自來到大門前向貞盛說：

「失禮了。大人說的沒錯。何況若是歸忌日，今晚大概沒地方住宿吧。

我現在就開門，請大人今晚在舍下過夜。」

「噢。」貞盛回道：「那麼，就我一人進屋好了。玄德既然處於物忌中，你們今晚暫且回去，明天再來接我。」

貞盛讓所有隨從回去。

門開後，手握弓與刀的貞盛單獨進來。

玄德打算款待來客時，貞盛說：

「既然是物忌中，你不用客氣了。今晚我就睡在這廂房吧。」

因是熟悉的宅邸，貞盛擅自進入脫鞋處旁的房間。

用過下人準備的簡易晚餐，熄滅燈火，貞盛便就寢。

之後——

大概夜半過後，貞盛聽到窸窣聲而醒來。

是推開大門的聲音。

這時，貞盛已將長刀佩在腰上，背著箭壺，手握弓。

他傾耳靜聽，察覺有幾個盜賊正自大門蜂擁進屋。

貞盛在黑暗中移動身子，躲進牛車停車處後。

十餘人自大門走過來。

「這正是玄德的宅邸。」

「聽說存了很多錢。」
眾人在黑暗中彼此交談。果然是盜賊。
盜賊繞到宅邸南邊，貞盛趁著無月暗夜，混入盜賊群。
有人點起火把，正當眾人打算闖入屋內時，貞盛說：
「此處有值錢東西。先進這兒。」
貞盛故意誤導盜賊到空無一物之處。
然而，若盜賊眞闖進，玄德法師可能遭殺害，因此貞盛故意留在後尾。
就在盜賊前導正要踢開門闖入屋內時，貞盛自背上箭壺抽出一枝箭，搭在弓上，咻地射出。
箭撲哧射進正要闖入屋內那男人背部時，貞盛大叫：
「有人自後射箭！」
接著從後面向背部中箭那男人撲去，兩人一起滾進屋內。
「快逃！」
貞盛邊叫邊拖著自己射殺的男人往裡邊走。
但是，盜賊仍不畏怯。
「別管了，進去！」
貞盛的箭又射中如此叫喊的男人面孔中。

對方倒下後，貞盛再度拖著那人進屋，之後又大叫：

「又有人射箭了，快逃！」

盜賊才終於「哇」地大叫逃之夭夭。

貞盛又往逃走的盜賊背後咻咻連續射箭，再度擊倒兩人。

又射殺了兩個爭先恐後逃出大門的盜賊，第七個則射中其腰部。

腰部中箭的男人，往前撲倒在路旁水溝中。

只有這男人倖存至早上，被捕後招出夥伴名字和長相。

因此才能緝捕逃掉的所有殘黨。

捉住後始知這些盜賊都是平將門之亂時將門的部下，將門死後，他們因生計窘困而淪爲盜賊。

「哎，讓貞盛大人進屋眞的太好了。」玄德法師欣喜萬分地說。

「假若太執著物忌而不讓貞盛大人進屋，法師必定被殺了。」

人們也如此交頭接耳地傳言。

八

「確實曾發生過這樣的事。」晴明說。

「也可以說，忠行的占卜既中也不中……」保憲苦笑自語。

「不，若無警告必須物忌的占卜，貞盛大人那晚恐怕也會粗心大意地睡著。結果還是有可能喪命。」晴明道。

「有道理，說得也是。」

「最重要的是能救回一條命……」

「嗯。」

「這事，是不是將門大人死後第二年——天慶五年⑫那時？」

「現在已是天德四年，十八年前的事了⑬。」

「提到平貞盛大人，將門之亂時，是他同俵藤太大人聯手跟將門大人對戰吧？」

「嗯。」

「現在幾歲了？」晴明問。

「應該已六十歲左右。」回話的是博雅。博雅交互望著晴明和保憲說：

「他是不是有陣子任職丹波守⑭，去年才回京城……」

「是。」保憲點頭。

「最近不見他上朝，聽說他身體不適……」

「正是如此。」保憲向博雅點頭。

⑫九四二年。

⑬九六〇年。

⑭京都、兵庫縣長。

「你來的目的正是爲了此事？」晴明問。

「嗯。」保憲點頭，壓低聲音說：「聽說他長了惡瘡。」

「惡瘡？」

「臉上長了個膿瘡，好像無法治癒。」

「無法治癒？」

「而且聽說不是普通惡瘡。」

「怎樣的惡瘡？」

「好像在往昔的刀傷傷疤上長了個膿瘡。」

「刀傷？」

「那膿瘡，似乎有什麼來由。」

「有來由？」

「不是自然而然形成的，而是有人下咒……」

「下咒？」

「嗯。」

「那麼，要我做什麼？」

「要你去治癒貞盛大人的惡瘡。」

「這種事，保憲大人自己做不也可以嗎？」

「這個啊，晴明。這事對方不知道。」

「不知道？」

「換句話說，貞盛大人不知道我打算治療他的惡瘡。」

「直接跟他說，不是很好嗎？」

「說了。不是我說的。是貞盛四周的人說了。要他給藥師或陰陽師看看。」

「結果呢？」

「不聽。」

「不聽？爲什麼？」

「他說不必理會，自然而然會痊癒。」

「眞的？」

「不知道。」

「……」

「晴明啊……」保憲傷腦筋地說：「人家既然說不必理會，卻硬要前去做些什麼，這不是我擅長的。」

「既是如此，那就如當事人所說那般，不必理會不就行了？」

「但是，也不能不理會。」

「爲什麼？」

「……」

「爲什麼不能不理會？」

「有關那惡瘡，老實說，我有個看法。」

「什麼看法？」

「我坦白說吧。目前不能說出我的看法。」

「不能說？」

「嗯。」

「眞是傷腦筋。」

「晴明，你別傷腦筋。這樣我會傷腦筋。」

「保憲大人也會傷腦筋？」

「當然。」保憲點頭，繼而一本正經地說：「在你去治療貞盛大人的惡瘡前，要是我在事前告訴你什麼，你會因其而行動吧？」

「……」

「可能的話，我希望你憑你自己的看法行動，然後得出跟我一樣的結論……」

「有關貞盛大人那惡瘡嗎？」

「是的。」

晴明望著保憲一會兒，說：

「這事，並非保憲大人自己的主意吧。」

「嗯。」

「有某人在保憲大人身後出主意吧。」

「嗯。」

「是哪位？」

「不能說。」

「是那男人嗎？」

「……」

保憲不開口。

「總之，就是這樣，晴明。」保憲微笑道，「過一陣子有和歌競賽。競賽結束之前先不用著手。」

「競賽結束後……」

「你佯裝不知到貞盛那兒，向他說，聽說您身體不適，我能不能爲您效勞？這樣就可以了。」

「我無法答應你。」

「別這樣說。」

「……」

「你足以勝任，晴明……」保憲邊拍晴明膝蓋邊如此說。

巻二 鬼笛

一

西京——

此處是座小小的荒廢寺院。

屋頂處處塌落，地板也有些坑洞。

早已沒有神像或燈火盤，以及任何值錢事物。

屋頂長滿秋草，窄廊下長了雜草，自地板裂縫探出頭。

往昔曾是庭院之處，現在整片都是雜草，甚至很難找到可以看見泥土的地方。

夜晚——

方纔還掛在上空的眉月，即將隱沒西邊山頭。

只有星光。

那微弱星光也照不到正殿。取而代之的是盞小小燈火。

地板鋪著毛毯，有對男女在毛毯上彼此依偎，喃喃細語。

「沒什麼可怕的……」

男人摟住女人，在她耳邊貼嘴竊竊私語。

男人嘴唇若即若離地逗弄女人耳朵。

每當男人細語，女人總是發癢般縮著身子，身子卻益發用力靠向男人。

「不，其實很怕。怕才好啊。因爲怕，妳才會這樣靠近我。」

「才不是呢……」

女人雖像小孩任性拒絕般左右搖頭，臉頰卻往男人臉頰貼近。

雙方隨從都已回去。明天早上才會來接主人。

「在這種地方見面，才是所謂的風流韻事。」

男人將手探入懷中，自懷中取出某物。是梳子。

「這東西給妳……」男人將梳子塞入女人手中。

女人微微離開男人身子，把燈火拉到手邊，在燈火前照看梳子。

是象牙梳子。不是實際用來梳髮，而是插在髮上當裝飾用。

梳子的背脊處，雕有花的圖案。

雕刻部分先塗上朱色，再於其上嵌鑲同樣形狀的玳瑁片。

透過半透明的玳瑁片可見底下的朱色。火光在玳瑁片上搖晃。

「好美……」女人發出陶醉聲。

性感的聲音。

女人興奮的臉頰並非因火焰而通紅。

「這是爲妳特別訂做……」

「好高興。」女人摟住男人。

這時，女人袖子碰到燈火盤，拉出燈芯，燈火熄滅了。

四周陷入漆黑。

「別管了。」

男人嘴唇在髮中尋到女人耳朵，在耳內注入溫暖的話語。

「我的手，我的手指，可以代替眼睛……」

男人的手滑進女人胸部。

「這隻搗蛋手的主人，現在不知是什麼表情？」

「是想吃妳的妖鬼表情。」

「哎呀……」女人發出叫聲。「聽說在這種地方提起妖鬼，眞的會出現妖鬼呢。」

女人說這話時，呼吸急促。

「妳放心，我衣領有縫進寫著尊勝陀羅尼的護身符。」

此時——

滑進女人胸部的男人的手，突然停止摸索。

女人正想開口，男人「噓」一聲暗示女人別出聲。

女人也立即理解男人的暗示。因爲外面可見火光。

有人來了？兩人都如此想。

圍著正殿的木板四處都裂開了，加上蟲蛀，到處都有隙縫。

兩人正是從隙縫中看到火光。

火光逐漸挨近。不久，出現撥開雜草的人影。

是個看似身穿黑色便服的男人。

妖鬼？

不，若是妖鬼，不可能用火。

是人。

如果是人，難道是盜賊？

盜賊知道兩人在此而來？不，似乎不是。因男人走到一半停下腳步。

而且不是單獨一人。身邊有個女子。那女子是個孩子。

是約十歲的女童，身穿白衣，靠在男人身邊。

看來他們兩人不知正殿裡有一對男女。

既非妖鬼，也非盜賊，那到底是何人？而且爲何跟著個女童？

黑影旁，有株梅樹。

黑影將手中火把斜掛在梅樹樹枝。那黑影似乎在該地等某人。

到底在等誰？此處將發生何事？

男女彼此依偎著屏氣凝神。

突然——

黑暗彼方出現一股神祕騷然的動靜。那動靜逐漸挨近。

不久——

看到撥開草叢蜂擁而出的身影時，男女險些發出叫聲。兩人幾乎昏厥過去。

因爲出現無數妖鬼。

獨眼禿頭妖。

獨腳犬。

雙頭女。

有腳的蛇。

長出手腳的琵琶。

雙角獸。

獨角獸。

如牛大小的蟾蜍。

有著馬首的東西。

在地上爬的。

手舞足蹈的。
沒有臉的。
只有嘴巴的。
後腦有臉的。
只有頭在空中飛的。
長脖子。
黏答答的。
長的。
短的。
有翅膀的。
用腳走路的罈子。
從畫中溜出的扁平女子。
沒腳在地上爬的狼。
四隻手的。
手中拿著眼睛走路的。
全身掛滿乳房的女人。
這些妖鬼都聚集在掛於梅樹上的火把亮光中。

亮光照不到的黑暗中還有無數妖鬼的動靜。

而且，那些妖鬼手中都握著人手或人腳、頭顱、舌頭、眼睛、腸子、頭髮——所有人體中一切部分。

百鬼夜行——

眾妖鬼聚集在此荒廢寺院庭院。

然而面對這些妖鬼，黑影毫無懼怕模樣。

平心靜氣望著眾妖鬼。

「總算聚集了……」黑影說。

是低沉、如泥土煮沸的聲音。

「咦……」黑影道：「有鮮血味。你們來這兒途中，是不是在某處啖噬了人……」

眾妖鬼沒應答。只發出高低不同笑聲。

「我託你們的東西都收集齊了？」黑影說。

眾妖鬼似乎在點頭。

「那麼，你們一個個拿過來……」

黑影說畢，獨眼禿頭首先挨近，遞出手中的人手。

「嗯。」

黑影接過，舉到火光下給身旁女童看。

女童無言凝望那人手，過一會兒，左右搖著小頭。

「不是嗎？」

黑影問，女童縮回白皙下巴，點點頭。

「那麼，這東西給你們。」

黑影將人手拋到妖鬼群中，眾妖鬼立即撲上那人手。

「這是我的。」

「是我的。」

「先吃到的先贏。」

眨眼間，手臂已消失在眾妖鬼口中。

其次是獨腳犬挨近，遞出人的腸子。

黑影接過，給女童看。女童左右搖頭。

「這也給你們。」

拋出腸子，眾妖鬼再度蜂擁聚集，不一會兒工夫，腸子已進入妖鬼腹中。

接著是全身掛滿乳房的女人挨近。遞出握在右手的東西。

「是陰莖嗎？」

黑影讓女童看陰莖。

女童以既大又黑的眸子凝望那肉片，然後微微拉回白皙下巴點頭。

「是嗎？這個合格了。」

黑影說畢，將那肉片擱在草叢。

「這不能給你們。」黑影環視眾妖鬼說：「下一個。」

如此，眾妖鬼接二連三來到黑影面前，各自遞出人體一部分。

黑影也將各部分給女童看。

女童左右搖頭時，黑影便將那部分拋給眾妖鬼，點頭時，則擱在腳邊草叢。

最後的妖鬼拿著人的小指站到黑影前。

女童左右搖頭。黑影將小指拋到妖鬼群中。

已沒任何妖鬼到黑影面前了。

「怎麼了？」黑影說：「這就完了？」聲音傳遍四周。

黑影旁的草叢堆著人體各個部分。

分量剛好是一具人體。

黑影在火把下一個個數，確認數量。

「可是這眞瑣碎。拿到此地之前，你們彼此搶奪了吧。」

黑影喃喃自語，說了三次同樣的話，逐一確認了人體各個部分。

黑影抬頭，聲音比方纔更大聲，說：

「怎麼回事？怎麼不夠？」

黑影環視眾妖鬼。

「眞的沒別的了？」

沒有應聲。

「怎麼沒有右手臂和頭顱！」黑影大叫：「是你們忘了拿來？還是丟在哪裡了……」

黑影的聲音逐漸咄咄逼人。只有站在身旁的女童面無表情。

「有人混在你們之中……」黑影低道：「誰？是誰想阻礙我們……」

黑影瞪視般環視眾妖鬼。不久，男人揚起兩邊嘴角。嗤笑。

「是你嗎？」黑影指著妖鬼之一。

手指的前方，是用二隻腳站立的鳥臉犬。

「你剛剛遞出的不是人腸子，而是狗腸子。」

黑影踏著草叢，從懷中取出不知寫著什麼的白符咒。

「別動。」

黑影將符咒貼在鳥臉妖鬼額上，短短呼出一口氣。

「喝！」

結果，方纔站立的妖鬼消失了，草叢中滾落著鳥羽和拂塵。

「噢。」黑影俯視兩樣東西，喃喃自語：「這不是鳥羽跟和尚用的拂塵嗎？」

似乎有人下咒，把鳥羽毛變成頭，拂塵柄變成狗身，拂塵毛部分則成爲尾巴。

「我明白了……」黑影露出白牙笑道：「是淨藏？是淨藏那傢伙想阻礙我的計畫……」

黑影咬牙切齒。

「可是，現在身體大部分都在我們這裡。淨藏再如何阻礙，我的計畫也不會中斷……」

這些話，男女在正殿內都聽到了。

男人完全聽不懂黑影的意思。

他只明白自己和女人正處於很糟糕的場所。

這時——

耳邊傳來悄悄話。

原來是兩個妖鬼，不知何時竟來到正殿附近，在窄廊另一端交談。

「哼。」

「哼哼。」

妖鬼的聲音傳來。

「你打算隱瞞碰到那怪老頭的事……」

「那有什麼關係？老實說出來，我就不得不說出在那兒丟失我拿來的右手臂了……」

「頭顱呢？」

「頭顱不是我弄丟的。」

「是誰拿頭顱來，中途丟了？」

「不，應該是混進來的淨藏手下耍了什麼把戲吧……」

「不，說起來一開始就有人拿頭顱來嗎？」

「不知道。」

「哼。」

「哼哼。」

傳來的是這種聲音。

「咦……」

妖鬼突然變了聲音。

「怎麼了？」

「有人的味道。」

「什麼？」

「在這正殿內。」

「噢，果然有……」

「去看看。」

「去看看。」

嘎噠咕咚，外面響起登上正殿階梯的足音。

到此為止是女人忍耐的極限。女人發出尖叫。

在場眾妖鬼均聽到那尖叫聲。

「是人。」

「有人。」

「被人看到了。」

妖鬼群中揚起叫聲。

「果然有人嗎？」

「有。」

兩個妖鬼踢破正殿門，衝進正殿。是蛇首妖和獨眼禿頭鬼。

「噢，是女人。」

「是女人。」

尖叫聲立即消失。兩個妖鬼撲上女人，緊緊咬住女人脖子。

女人的手臂和雙腳都被撕裂，在男人眼前遭妖鬼吞噬。

這時，其餘妖鬼也蜂擁聚集過來，彼此搶奪女人身子。

男人貼在房間角落，忍住叫聲。情景太駭人，他反而發不出聲。

不一會兒，女人的身子在男人眼前消失得連骨頭都不剩。

眾妖鬼魚貫走到外面。

「怎麼了？」黑影問。

「裡面有個女人，大家吃掉她了。」獨眼禿頭妖鬼回道。

「混蛋！」黑影向獨眼禿頭妖鬼大喝一聲：「應該活捉她，問她爲何在這裡。」

獨眼禿頭妖鬼發出不滿的呻吟。

「就一個嗎？」

「就一個。」

「眞的？沒男人在嗎？」

「沒有。大概跟某男人約在這兒見面吧。」

「唔。」

「繼續等的話，男人會來。來了，再吃掉他。」

聽獨眼禿頭妖鬼如此說，黑影親自走到正殿，探看屋內。

裡面的確已不見任何人。

除了掉落一把梳子，地板上只剩大量鮮血。

「唔。」

黑影拾起梳子塞入懷中。

「事情辦完了。」黑影說：「你們走吧。有一陣子不會再召集你們。」

「哼。」

獨眼禿頭妖鬼踏著腳步聲走出正殿。

女童站在黑影背後。黑影望著女童說：

「有朝一日，我們的計畫一定會成功。」

不久，黑影和女童走出正殿，方纔庭院的眾多妖鬼已全部消失。

黑暗中，只有掛在庭院中央那株梅樹枝上的火把燃燒著。

二

櫻花已盡落。長出嫩葉了。

前陣子櫻花盛開的樹枝上，此刻已萌生刺眼的嫩綠。

陽光明亮溫暖。

幾隻白蝴蝶在庭院中飛舞。

晴明背對庭院坐著。

晴明正面——盡頭鋪著菱紋鑲邊的榻榻米上，坐著平貞盛。

只是，晴明與貞盛之間掛著垂簾，看不清貞盛身姿。

晴明只能看到影子。

因爲讓其他人退下了，只有晴明和貞盛在場。

「晴明……」貞盛聲音含糊不清。

貞盛頭上裹著布條般的東西，只露出雙眼。嘴巴被布條蒙住，因此聲音含糊不清。

沒裹布條的雙眼四周，也因隔著垂簾而看不清。

「辛苦你特地來這一趟，但這兒沒你該做的事。」

即使看不清容貌，光聽聲音，晴明也知道眼前的人確實是熟識的貞盛。

「因源博雅大人從中說情，我才跟你會面，可是，也並非有事想跟你談。」

「原來如此。」晴明行禮點頭。

「我很感謝你擔憂我的惡瘡，但你沒必要擔憂。總有一天會痊癒。」貞盛說。

「是。」晴明只能點頭。

「晴明，坦白說吧。」

「說什麼？」

「你今天來，不是你自己的主意吧？」

「……」

「是誰教你到我這兒來的？」

「是賀茂保憲大人。」晴明爽快道出。

「噢?!」這名字令貞盛大吃一驚。「可以嗎？」

「什麼意思？」

「我是說，你坦白說出讓你到這兒來的人物之名，可以嗎？」

「沒問題。」晴明若無其事說。

「爲何沒問題？」

「他沒有要我隱瞞。」

「唔。」

貞盛點頭，似乎對晴明有點感興趣。

「保憲大人為何叫你來我這兒？」

「他沒說出理由，只是……」

「只是？」

「他要我在治療過貞盛大人的惡瘡後，若有看法，說給他聽。」

「什麼意思？」

「是。我也如此問過他，但他沒再說什麼。」

「此事當眞？」

「是。」

這並非謊言。晴明說的是事實。

「唔……」貞盛似乎在考慮某事。

「我也如釋重負了。」晴明說。

「如釋重負？」

「是。」

「什麼意思？」

「這樣很好的意思……」

「不明白。」

「我雖然受保憲大人之託而來，但因不知內情，我也很傷腦筋。」

「……」

「如此和貞盛大人會面，並直接遭拒，對保憲大人也說得過去。因這事莫名其妙，既然貞盛大人說沒必要，在下其實正鬆了一口氣。」

「原來如此……」

「再待下去可能會令大人更煩心。我在此失陪了。」晴明行了個禮。

貞盛對打算立即離去的晴明說：

「等等，晴明……」

「是。」晴明滿不在乎地望著貞盛。

「我問你一件事。」

「什麼事？」

「你是說你能治癒我的惡瘡嗎？」

「我沒這樣說。」晴明毫不遲疑地說。

「爲什麼？」

「我還沒看到貞盛大人的惡瘡。」

「唔。」

「在看過、摸過、查驗種種，我才能說出某種判斷，沒看之前，我無法說任何意見。」

「有道理。」

「若是可以，請容在下告辭……」晴明打算起身。

「晴明……」貞盛再度出聲。「若我想要你診斷，該如何辦？」

「只要遣人過來，我隨時前來拜訪。若想避人眼目，也可以不用遣人到寒舍。只要遣人到戻橋，說句，有事找晴明，那麼一、二天內我會到府求見。」

語畢，晴明支起膝。說了句「告辭了」，站起身時，背後有人呼喚。

「晴明……」

晴明回頭一看，有個老人站在窄廊。

白髮。白鬚。蓬亂長髮。是一位身穿如破爛布般黑色便服的老人。

「道滿大人。」

「久違了。」

是蘆屋道滿站在窄廊。

「原來如此，原來是這樣……」晴明道。

「正是如此。」道滿露出黃牙笑道。

「我終於明白貞盛大人說沒必要的意思了。」

「因爲有吾人道滿在。」

晴明跨前幾步，與道滿同樣站在窖廊。

「你們彼此認識？」垂簾內傳出貞盛的聲音。

「是難解之緣的冤家。」道滿說。

「告辭了……」晴明在窖廊正欲跨開腳步。

「晴明……」道滿開口。

「是。」晴明停止即將跨出的腳步。

「你看看庭院。」道滿說。

晴明望向庭院。明亮陽光中飛舞著二、三隻白蝴蝶。

「蝴蝶飛著。」道滿說。

「是。」晴明點頭。

「很美的蝴蝶。」

「是。」

「我抓其中一隻送你。」

「抓？」

「你看著。」

道滿右手握成拳頭，只伸直食指。食指指向庭院中飛舞的一隻蝴蝶，接著低聲說句「過來」，口中開始喃喃唸起咒文。

是低沉、含糊不清的聲音。

不久，道滿指著的那隻白蝴蝶，輕飄飄浮在半空，飛過庭院逐漸挨近。

然後——

蝴蝶飛過來，停在道滿伸出的食指上。

「噢！」貞盛像是看到不可思議之事，發出叫聲。

道滿收回右手，讓停在食指上的蝴蝶靠近自己臉龐，蝴蝶依舊不逃。

「眞可愛……」道滿向晴明笑道：「你看。」

道滿伸出右手。停在道滿右手食指上的蝴蝶，此刻，正在晴明眼前。

「給你帶回去。」道滿說。

「那我就收下了。」

晴明紅脣浮出柔軟笑容，用右手捏住停在道滿食指上的蝴蝶，納入懷中。

道滿又對著打算跨出腳步的晴明背部，說：

「看。」

背著身，晴明停住腳步。

「不知何時蜘蛛竟在這兒築巢了。」道滿視線望向上方。

窄廊上方屋頂，蜘蛛在屋簷下織了個網。

「蜘蛛在這種地方織網，改天那蝴蝶也許會被纏住。」

道滿輕快地伸出右手，用手指繞圈纏住那蛛網。

「這樣便沒問題了。」

道滿將纏住蛛網的右手舉到眼前。

「咦，這兒有蜘蛛。」

不知何時，道滿右手食指與拇指間捏著一隻蜘蛛。

「晴明大人，這該如何辦……」道滿對著晴明背部說。

「隨您便……」晴明道。

「那就……」道滿用指頭捏碎指間的蜘蛛。

道滿手指沾滿不知是蜘蛛鮮血還是排泄物的黃色汁液。

「道滿大人，改天再一起喝一杯……」

晴明背對著道滿低聲說畢，跨開腳步。

「噢，我期待著。」道滿對晴明背部說。

三

牛車在朱雀大路前行。

晴明坐在牛車內，閉著眼聽著背部傳來牛車輾泥土的咕咚聲。

他正自貞盛宅邸歸家途中。

眼前就是朱雀門了。

再過不久，牛車應該右轉，駛往土御門小路方向。

咕咚。

牛車晃了一下，停住了。

奇怪——晴明睜開眼。

「請問這是安倍晴明大人的牛車嗎？」

外面傳來男人聲音。牽牛隨從回應「是」。

晴明用手指在垂簾掀開個縫隙，望向外面。

他看到車前站著個身穿窄袖服的男子。

男子眼尖地看到垂簾掀開縫隙，挨過來。

「請問您是安倍晴明大人嗎？」男子在車旁跪下單膝，仰望晴明。

「是。」晴明點頭，問男子：「有事嗎？」

「我家主人說務必見晴明大人一面。若能容我帶路，能不能請您立即隨我來？」

「你家主人是哪位？」晴明問。

「非常抱歉，現在不能奉告。」

「是嗎？」

「我知道這很失禮，但還是請您務必……」

「……」

「晴明大人可以不用下車。只要晴明大人答應，我馬上帶您到某處，在那兒晴明大人依舊可以坐在牛車內，同我家主人交談即可。」

晴明呼地微微吐出一口氣，點頭說：

「走吧。」

「感謝大人。」

男子行了個禮，跨開腳步。

晴明吩咐隨從跟在男子身後，合攏垂簾縫隙。

咕咚。

牛車再度前進。左轉。似乎往西前進。

經過朱雀院、淳和院，來到紙屋川附近時，牛車停下來。

四周不見人影。

從垂簾縫隙觀看，只見距離不遠的前方有株大柳樹，樹下停著一輛牛車。

牛車上蓋著青布。因此看不出是何方人物的牛車。

拉曳車的牛正望向這邊。

「請稍待。」男子說。

男子舉手示意，停頓的牛車往這邊駛來。

不久——

那牛車與晴明的牛車並排。

「是安倍晴明大人嗎？」

車內傳來聲音。是男人聲音。

因蓋著布，傳過來的聲音很微弱，但仍能聽清楚。

「是。」晴明點頭。

「請原諒我的失禮。因故不能告知我的名字。」男人過意不去地說。

「有什麼事？」晴明問。

「爲何拒絕了？」男人聲音說。

「什麼意思？」

「平貞盛大人的事。」

「哦……」晴明小心翼翼出聲。

是那種不會讓對方聽出任何意義的聲音。

「您拒絕治療惡瘡。」

看來，聲音主人知道方纔在貞盛宅邸所交談的內容。

「不是我拒絕了。是貞盛大人拒絕我。」

「儘管如此，我還是很希望您接受……」是沉痛的聲音。

「爲何呢？」

「我認爲能夠拯救貞盛大人的，除了晴明大人，別人都不行。」

「可是，貞盛大人自身不想接受治療，我也無法可施……」晴明道。

對方沉默了一會兒。接著——

「那男人，值得信賴嗎？」聲音問。

「那男人？」

「名叫蘆屋道滿的那男人。」

「這個……」晴明答不出來。

「果然不能信賴嗎？」

「不，我不是這意思才答不出來。」

「那麼，是什麼意思？」

「有關貞盛大人的惡瘡，無論任何事，只要我能辦到，那男人應該也能辦到吧。」

「那男人有這種能力？」

「他是個傑出方士。」

「比晴明大人高明？」

「這問題還眞直率。」晴明聲音混入些許苦笑。

「非常抱歉。」

「我不知道那男人到底因何目的而待在貞盛大人宅邸，關於這事，您可知道什麼嗎？」

「我想，很可能是藤原治信大人從中介紹。」

「是治信大人？」

「前些日子，那男人祓除了附在治信大人身上的妖物。」

「是嗎？」

「聽說爲了不讓世間人知道，這種事託那男人最適合。」

「大概吧。」

「可是，我無法信賴那男人。」

晴明聽那聲音的口吻，微微笑了出來。

「有問題嗎？」對方問。

「那我就忠告您一件事吧。」晴明說。

「忠告？」

「若您下次見到貞盛大人，麻煩您轉告一下。假若貞盛大人因惡瘡而跟那男人之間約定了種種有關報酬的事，請貞盛大人千萬不能失約……」

「若失約呢？」

「我的意思是，那男人比一般附身妖物更爲恐怖。那個叫蘆屋道滿的人……」晴明道。

四

「這麼說來，那男人終於沒報出自己名字……」問話的是博雅。

「嗯。」晴明點頭。

晴明宅邸——

夜晚。

晴明和博雅坐在窄廊，兩人正在喝酒。

琉璃杯內盛滿葡萄釀造的胡國酒。

庭院夜氣中散發著初開的藤花香。

身穿十二單衣的蜜蟲坐在兩人身邊。

不僅夜氣中的藤花香，蜜蟲身上也飄出藤花香溶於夜氣中。

「既然對方知道貞盛大人宅邸內情，應該是身邊某人吧。」晴明說。

「可是，晴明，那男人爲何特地向你說這種話？」

「對方大概有他自己的看法。」

「什麼看法？」

「我怎麼知道？」

「你不知道？」

「反正，過不久，有些事應該會逐漸明白吧。」

「換句話說，晴明，你並非打算放手不管了？」

「博雅，我什麼時候說過我放手不管了？」

「你雖沒說，我認爲你放棄了。」

「我沒放棄。」

「可是，那邊不是有蘆屋道滿大人在嗎？」

「嗯。」晴明點頭，將手中琉璃杯擱回窄廊。「我放出各種式神，不愧是道滿大人，都給看破了。」

「式神？」

「就是這個。」

晴明從懷中取出疊成兩片的小白紙。

「這是什麼？」

「我讓白紙化爲蝴蝶，放到貞盛大人宅邸庭院，結果給道滿大人發現了。」

「……」

「要是蝴蝶還在，應該可以做各種事。」

「是嗎？」

「也放了一隻蜘蛛。」

「蜘蛛？」

「是我的式神。」

「噢。」

「結果也被發現了。要是蜘蛛仍在那兒織網，就可以聽到那附近交談的內容……」

「蜘蛛也被看破了？」

「嗯，沒錯。」
「可是，沒想到你竟能做出這種事，晴明啊，我真的痛切感覺你是個恐怖的男人。」
「呵呵。」
「不過，看破你的式神的道滿大人，不是也很恐怖？」
「確是如此。」
「道滿大人能治癒貞盛大人的惡瘡嗎？」
「如果我能治癒，道滿大人應該也能治癒。可是，問題是……」
「是什麼？」
「問題是道滿大人到底懷什麼鬼胎？」
「連你也不知道？」
「嗯。不過，剛剛我也說了，我並不是打算放手不管。」
「哦。」
「我下了咒。」
「咒？」
「向貞盛大人。」
「下了什麼咒？」

「是語言的咒。那咒，已經潛入貞盛大人內心。」

「……」

「一旦有事，他一定會再度傳喚我去。」

「傳喚你？」

「就等著吧。」

「等？」

「那個道滿大人在那邊。不可能什麼事都不發生。」

說畢，晴明將背部靠向柱子。眼睛望向庭院。

黑暗中可見沉重垂下的一串串藤花。

晴明紅唇，添上一抹微笑。

「怎麼了？晴明。」博雅問。

「什麼怎麼了？」

「你剛剛不是在笑？」

「是嗎？我笑了嗎？」

「到底怎麼了？」

「我想起一件事。」

「什麼事？」

「你的事，博雅。」

「我的事？」

「和歌競賽時，你不是唸錯了？」

晴明將視線自庭院移至博雅身上。

今年天德四年的和歌競賽，半個月前在清涼殿舉行，由博雅擔任右方講師。

講師是負責朗誦被選中的和歌，博雅在競賽中唸錯了和歌順序。本來應該其次朗誦的和歌，他提前朗誦了。

爲此，應由博雅朗誦的兩首和歌，都輸給左方。

晴明說的正是此事。

「別提了，晴明。這不正是我近來最掛意的事嗎？」博雅抱怨地噘起嘴。

「抱歉。」

「晴明啊，你有時這樣糗我不好。」

「別生氣，博雅。」

「我根本沒在生氣。」

「你在生氣。」

「不，我只是有點不愉快。」

「這不就表示你在生氣了？」

「不是。」博雅瞪著晴明。

「博雅，你看。」晴明望向庭院說。

「看什麼？」博雅失去先發制人的機會，望向庭院。

「螢火蟲。」晴明說。

黑暗盡頭——

池子附近的半空中，飄浮著螢火蟲亮光。

發綠的那黃色亮光，在半空輕盈滑動。

「噢……」博雅情不自禁發出低叫。

那是今年第一隻螢火蟲。

卷三

撲滅蜈蚣

一

有位名爲俵藤太的漢子。

是大織冠①藤原鎌足②的子孫村雄朝臣的長男。

正式名字爲藤原秀鄉。

十四歲戴冠，因住在田原鄉，人們通稱他爲俵藤太秀鄉。

而當人們實際提到這人物的名字時，習慣稱他俵藤太。

他對任何事都面不改色。

孩提時代便膽大包天，在路邊看到蛇時，徒手抓蛇並用牙齒剝蛇皮，活生生吃下。

戴冠之際，父親村雄授予他代代相傳的名劍。

長約三尺。因是黃金製造，很重。劍銘是「黃金丸」。

據說他能拉需十人之力才拉得動的強弓，而且自上而下順勢揮下黃金丸，連鐵製盔甲也能一刀兩斷。

往昔——

平將門之亂那時，他奉皇上之命前往下野國③。

下鄉時，聽聞一件怪事。

①日本大化革新時政府制定之衣冠制度中的最高官位。亦為藤原鎌足的別稱，因記錄之中，僅有他獲此職。

②藤原鎌足，六一四—六六九年，臨終時，天智天皇（日本第三十八代天皇）賜予大織冠官位。

③今日本栃木縣。

據說近江國④勢多大橋出現一條蟒蛇，威嚇眾人。
蟒蛇橫臥橋中央，將橋分爲兩邊，任何人都無法過橋。
下鄉時，隨從向俵藤太說：
「我們走別的橋下鄉吧。」
「你們就那麼做。可是，這事似乎很有趣，我單獨一人過勢多大橋。」
「請別那樣做。」
隨從雖阻止，藤太卻不聽。
「你們先上路。等我跨過那條蟒蛇，再追上你們。」
藤太一旦說出口，絕不改變主意。
事情就這樣決定。
他肩上背大弓，腰上佩黃金丸。來到大橋時，果然如傳聞那般，有條蟒蛇橫臥橋上。
長約二十丈，蛇身約有五、六個成人身軀那般粗。
蟒蛇將多餘蛇身盤成一團，高舉蛇首睥睨四周。
鱗身發出青綠光，背上長苔。
雙眼如溶化的銅炯炯發光，頭上有十二根角。
刀刃般的牙齒間，蠕動著火焰般的紅舌。

④今日本滋賀縣。

大概是修煉千年的蛇精。

總之，看上去只要再多活百年，可能化爲龍而升天。

「再怎麼大，也不過是一條蛇……」

藤太沒駐足，大踏步走去，輕快地跨過那粗大蛇身。

什麼事都沒發生。

蟒蛇只是凝望跨過自己的藤太而已。

「哼哼。」

藤太頭也不回地過橋，繼續往前走。

不久，太陽即將下山，藤太乞求附近人家留他住宿，在那兒過夜。

深夜——

藤太熟睡時，有人呼喚他。

「藤太大人。」

醒來後，發現呼喚的是此宅子主人。

「怎麼了？」

「剛剛有位可疑女子來到大門，說，那個跨過勢多大橋蟒蛇的人物，今晚應該住在這兒吧。」

「是嗎？」

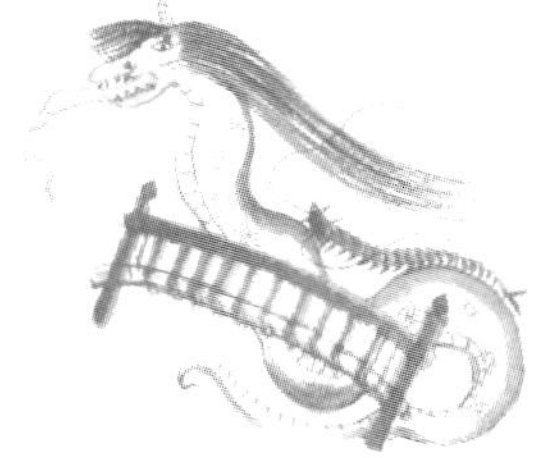

「今晚在這兒過夜的只有藤太大人您一個。難道藤太大人是跨過那條勢多大橋的蟒蛇來這兒？」

「若是那樣，正是我。」藤太說：「對方找我有什麼事？」

「對方說，若是那個跨過蟒蛇的人，她有話想對您說……」

「女子這樣說？」

「是。」

「眞有趣不是嗎。」藤太在被褥上盤腿而坐，說：「叫她來這兒。」

「可以讓她進來嗎？」

「無所謂。」

既然藤太如此說，主人也只好讓那女子進來。

主人起身離去，過一會兒帶著一位女子回來。

此時，藤太已將黃金丸拉到身邊，膝上擱著大弓。

房內只有一盞燈火。

「那麼……」主人匆匆離去。

來人是個妖豔女子。跟男人一樣戴著烏帽，身穿青色水干。

年約二十。雙眼細長銳利。美得宛如不是這世上人。

女子神情可怖地凝視著藤太。

「有什麼事？」藤太坐著問。

「你確實是那時跨過蟒蛇的人……」女子說。

「妳看到了？」藤太問。

女子站著搖頭，說：「能不能奉告大名？」

「大家叫我俵藤太。」藤太說。

「原來你是俵藤太大人……」

「沒錯。」

「我早已聽聞你的風聲。聽說你力強膽大……」

「……」

「既然是俵藤太大人，難怪會不怕我，跨我過去。」

「妳是說『我』？」

「我現在雖化爲人，但這不是眞正的我。」

「哦。」

「我正是你跨過的那條蟒蛇。」

聽到此話，藤太毫不吃驚。

「原來如此，是妳。」他一點也不起疑地點頭。「那麼，蟒蛇找我有什麼事？」

聽藤太如此問，蟒蛇女子就地坐下。

「我想請求你一件事。」

「什麼事？」

「自從這國家開國以來，我便住在琵琶湖。」

「唔。」

「近兩千年來，住著住著，我曾遭遇各種苦頭。至今爲止，琵琶湖也曾七次面臨乾枯的危險，好不容易才活到今天……」

「嗯。」

「可是，元正天皇時代⑤以來，湖畔三上山⑥來了一隻大蜈蚣，牠吃盡山中動物，開始下山侵犯湖內的魚。」

「……」

「雖說有生命的東西只能靠吃食其餘生命才能活下去，是這世上的自然法則，但這大蜈蚣貪得無厭。無論吃得再如何撐，吃到膩也繼續吃，導致這附近的動物和魚蝦馬上減少許多。」

「原來如此。」

「我因延年益壽，在這附近以禽獸之神身分住在琵琶湖，因此無法視而不見。」

⑤日本第四十四代天皇，七一五—七二四年在位。

⑥位於琵琶湖之南，標高四三二公尺，有「近江富士」之稱。

「妳跟牠鬥了？」

「是。這幾十年來，每逢滿月之夜，我都跟這大蜈蚣相搏，但敵方力量很強，我卻逐漸衰弱。」

在燈火下仔細觀看女子，可發現她臉龐有好幾處淤青，脖子至衣領內也有一道駭人的深長傷痕。

「那是？」藤太問對方脖子的傷痕。

「是大蜈蚣咬傷的，上月被咬，還沒痊癒。」女子說：「我已敵不過那大蜈蚣。總有一天，我大概會被那大蜈蚣咬死。」

「唔。」

「因此，我想尋找武力傑出之人，拜託他跟大蜈蚣打鬥。」

「所以才在那大橋……」

「是。因怕我而逃開的人不行。我認爲若有人敢跨過我，那人便是我想尋求的人物。」

「所以是我？」

「至今爲止，有好幾人來到橋上，但敢跨過我的只有大人您一個。」女子堅決說：「俵藤太大人，如果是您，應該可以撲滅那大蜈蚣。求求您，幫我這個忙。」

「明白了。」藤太點頭。「既然如此，現在就走吧。」

藤太站起身。他決定得很快。表情毫不遲疑。

「太感謝您了。那麼，請您出門離開這宅子，大約走半個時辰，便可以抵達我所說的面臨三上山的琵琶湖畔。在那兒等待，大蜈蚣應該會很快出現。」

女子說畢一站起身，身影便如溶於黑暗般消失。

這事沒必要呼叫主人。武器都在身邊。藤太立即著手準備。

腰上佩黃金丸，腋下夾著十人方能張開的籐皮大弓，手中握著三枝十五束三伏⑦長箭，前往琵琶湖。

藤太單獨一人。

他仰賴月光走夜路，來到湖畔。

往前看，湖對岸，漆黑的三上山高聳入夜空。

山頂上方出現烏雲，幾道雷電在烏雲內閃閃發光。

藤太暗忖——噢，這難道是那女子所說，大蜈蚣將要出現的前兆？

望著望著，烏雲逐漸擴大，遮住星星，也即將遮住月亮。

帶腥味的風，自湖面吹來。

水面冷不防翻騰起來，激起數千、數萬浪濤，湧向藤太站立的岸邊。

---

⑦四指一握約等於一束，一指約等於一伏。十五束三伏約等於十五個拳頭加三根手指的長度。

大粒雨滴刷地激烈拍打湖面。

藤太如此喃喃自語時，三上山那一帶突然明亮起來。

「快出現了。」

宛如同時舉起二、三千火把。

閃電奔馳，雷聲轟然，山鳴地動。

天地都在鳴動，發出轟隆聲。

晃動山峰，搖晃山谷的那聲音，彷彿落下千萬雷電。

藤太在風雨聲中文風不動。

有某物在黑暗中蠕動。應是龐大無比的物體。

山上樹叢群起般竄動起來，那某物朝這邊逼近。

看清楚了。

是隻雙眼發出紅光的大蜈蚣。

藤太從容不迫地在硬弓上搭上第一枝箭，等著。

那怪物在湖中激起波浪，逐漸逼近。

接著，那蟒蛇迎擊般出現在湖中。

大蜈蚣和蟒蛇開始互鬥。激烈得猶如所有湖水都將化爲水花而消失。

繼續觀望，顯然蟒蛇戰況不利。

「好！」

藤太將搭上的箭對準大蜈蚣。

咻！藤太射出箭。

藤太的箭據說從距離六百尺外也能射穿岩石，此刻正穿過黑暗擊中大蜈蚣前額。

然而，沒射進。

箭像射中鐵板之類般反彈回來。

藤太搭上第二枝箭，滿面通紅地用力拉弓拉到最大限度射出。

這枝箭又擊中大蜈蚣前額而反彈回來。

無論怎麼射，箭都射不進去。

剩下一枝是最後指望。

大蜈蚣壓住蟒蛇，看似即將咬住蟒蛇喉嚨。

「南無八幡大菩薩。」

藤太一心一意祈禱，舔了一下箭頭，搭在弓上。

怪物已逼近眼前。

藤太對準怪物那發出紅光的雙眼間射出箭。

離弦的箭穿過半空，撲哧射入目標。

「吱——!」

某種叫聲般的聲音在黑暗中迸開。

瞬間，閃電和雷鳴、地動、風、雨、波浪，均在眨眼間平息。

四周只剩黑暗。

二

「妖物那傢伙斷氣了?」

俵藤太直接回借宿處。

借宿宅子家人都起來等藤太回來，看到他歸來才鬆一口氣。

「幸好您平安無事。」宅子主人說，「突然起暴風雨，雷鳴又地動。我還擔憂到底發生了什麼事。」

「我剛辦完一項工作。」藤太若無其事說：「睡覺了。」

他向問東問西的眾人如此說後，即鑽進被褥就寢。

翌朝，藤太遣人去查看湖畔附近。那人回來後報告說：

「不得了，湖中浮著一隻長約三十丈的大蜈蚣屍體。」

「好、好。」

藤太點頭，也前往湖畔，發現靠近此岸邊水淺之處，浮著大蜈蚣屍體，隨波搖晃。

仔細一看，蜈蚣額頭插著藤太射出的箭。

「藤太大人，這是？」借宿宅子主人問。

「昨晚我擊倒的。」藤太滿不在乎地說。

「不過，那麼硬的地方，箭居然射得進去。」

「這沒什麼，我想起人們常說，蜈蚣自古以來就很嫌棄人的唾液。」

藤太說事前舔了箭頭，再射出箭。

昨晚看似二、三千火把的玩意兒，似乎是大蜈蚣發光的腳。

「可是，這屍體怎麼辦？」主人問。

就算想拉上岸，大蜈蚣也太重了，根本拉不上來。

「我來設法。」

藤太不假思索地嘩啦嘩啦走進湖中，抽出腰上的黃金丸，「呀」一聲砍向蜈蚣，不一會兒，即在眾人眼前將蜈蚣砍得零零碎碎。

「這蜈蚣至今爲止吃掉各種動物和魚。現在輪到牠成爲魚的餌食。」

藤太哈哈大笑回到岸邊。

三

當天夜晚——

熟睡中的俵藤太察覺某種動靜醒來，發現昨天那位女子坐在一旁。

「昨晚很感謝大人相助。」女子深深打揖。「不愧是俵藤太大人，居然代我撲滅了那大蜈蚣。這是我聊表心意的謝禮。」

女子以濕潤眼神望著藤太說。

藤太瞟了一眼，原來女子身旁擱著絲綢布匹、大米草袋、赤銅鍋。

「請您收下這些東西。」

「不，我不是因想收禮才答應妳。昨晚的事，只要能爲武家人增添名聲，爲自己保有面子，我就滿足了。」藤太婉拒。

「這樣我實在過意不去。」

女子堅持要藤太收下，說畢即消失蹤影。

話說女子留下的絲綢布匹，無論怎麼剪裁製衣總是用不完。

大米草袋，無論取出多少大米，大米總是不見減少。

至於赤銅鍋，只要放入食物，沒生火也會自動煮熟。

「眞是收了不可思議的寶物。」

因宅子主人挽留，藤太又逗留幾天，就在第二天打算動身前往下野國時，他說：

「這些東西終究不好。」

「什麼東西不好？」主人問。

「這些絲綢布匹和大米草袋，還有這赤銅鍋。」藤太答。

「為什麼？」

「你看，因有這絲綢和米袋，鄰近村人都似乎理所當然地來拿這些東西回去。」

因布匹再怎麼剪裁也不會減少，大米也不會用光。

「要多少就給多少。」

藤太事前曾如此說，因此來人要多少就給多少。

「這樣下去大概沒人肯工作吧？」藤太說：「到時候，國家會滅亡。」

藤太命人將絲綢布匹、大米草袋以及赤銅鍋運到琵琶湖岸邊。

「把這些沉入湖底。」藤太下令。

「藤太大人，您打算做什麼？」

「這是湖主給我的，所以還給湖主。」

藤太說服村人，將所有東西都拋進湖中。

當天夜晚——

藤太熟睡時，那女子又出現枕邊。

「有什麼事嗎？」藤太問。

「我送您的東西，今天被送回來了，所以來請問您，這到底是怎麼回事？」女子說。

藤太說明理由，並向女子說：

「那種東西不能留在這世上。」

「聽您這樣說，確實有道理。」女子行了個禮。「看您明天似乎打算出發，我想在今晚重新答謝您。」

「答謝？」

「藤太大人的那把佩劍，即使是名刀，砍過那大蜈蚣後，應該多少也有損傷吧？」

「嗯。」

「能不能請大人讓我們研磨那把刀？」

「黃金丸？」

「只要大人肯光臨舍下，在磨好刀之前，讓我們招待您一頓美酒。」

「既然如此，我也沒理由拒絕。」

「那麼，藤太大人，能不能請您站起身？」

「嗯。」藤太站起身。

「請閉上雙眼。」女子說。

藤太閉上雙眼。

「往左轉兩次，再往右轉三次……然後請您將右腳往前跨出一步。」

藤太照辦。左轉兩次，右轉三次，右足跨前一步。

「請您睜開雙眼。」聲音又響起。

睜開雙眼，眼前是棟黃金樓閣。

還來不及發出「噢」的驚歎聲，只聽見「請進」，女子穿過大門。

隨女子身後進門，裡面是庭院。

庭院百花齊放，散發難以言喻的香味。樹木長滿七寶果⑧。

前方是黃金柱子搭撐的宮殿。

階梯上是鑲滿寶石的欄干，前庭鋪著琉璃和珍珠，大廳地板是水晶。

「請坐這裡。」

藤太按照指示坐下。

「請給我您腰上的佩劍。」女子伸手。

藤太將黃金丸遞給女子，女子雙手接過後交給女侍之一，並吩咐裡邊：

⑧佛教無量壽經中指金、銀、琉璃、玻璃、珊瑚、瑪瑙、硨磲等七種寶物；法華經中則指金、銀、琉璃、瑪瑙、硨磲、珍珠、玫瑰等七種寶物。

「準備酒筵……」

眾多身穿漂亮衣服的女子出現，端來酒菜。

女子陪藤太喝酒。

眾樂師彈起琵琶和月琴，演奏笛、笙。

藤太大吃大喝。

不久——

方纔接過黃金丸消失的女侍又回來了。

她手上捧著黃金丸，後方跟著一輛載著黃金盔甲、赤銅吊鐘的車。

女子接過女侍手中的黃金丸，遞給藤太說：

「這刀還給您。這兒的盔甲和吊鐘是代替您送回來的米袋和鍋。盔甲可以保護藤太大人，吊鐘可以祛除人的煩惱，都不是對人有害的東西。請您務必收下。」

「那我就收下。」藤太沒理由拒絕，感恩地收下那些禮物。

「還有，藤太大人，我必須再告訴您一件事。」女子最後說。

「什麼事？」

「有關我們研磨過的黃金丸，請您小心。」

「小心什麼？」

「被這把我們研磨過的黃金丸砍傷，二十年都不會癒合。」
「噢。」
「請您在使用黃金丸時，千萬別傷到自己。」
「放心。我俵藤太再不小心也不會犯那種錯。」
「那我就安心了。」
「我就在此告辭吧。」藤太說。
歸途與來時相反。閉上雙眼，左轉三次，右轉兩次，左足再後退一步。
睜開雙眼，藤太正站在琵琶湖岸邊。盔甲和吊鐘也在身旁。
聽說藤太回來了，全村騷然不已。
藤太借宿的宅子主人問：
「您到底去哪了？」
據說，那晚藤太毫無告知地消失後，到今日剛好整整一個月。
原來藤太待在女子宮殿不到一夜，地上竟已過了一個月。
藤太將吊鐘獻給三井寺⑨，自己帶著黃金丸和盔甲下鄉至下野國。

⑨位於今滋賀縣大津市。

四

聽聞俵藤太遭怪賊襲擊消息的人是源博雅。

事件發生後翌日中午，博雅轉告晴明此消息。

博雅罕見地搭牛車到晴明宅邸。

「今天吹了什麼風了，博雅？」

兩人在窄廊相對而坐後，晴明問博雅。

意思是，為何搭牛車來——

博雅雖偶爾會搭牛車到晴明宅邸，但中午來時通常徒步過來。

這點是博雅與眾不同之處。

可是，這天是中午，博雅卻搭牛車來。

晴明問的是這點。

「最近因為騷動不安，我說要單獨出門，身邊人不允許。」博雅說。

「是說懷孕女子被殺，還有以怪女子為首而不搶劫的盜賊……這些事嗎？」

「嗯。」博雅點頭，接道：「老實說，又出現了。」

「又出現了？」

「正是你剛剛說的那些不搶劫的盜賊。」

「哦。」

「晴明，我今天來正是想告訴你這件事。」

「這回是誰遭殃？」

「俵藤太大人。」

「藤原秀鄉大人？」

「嗯。」博雅點頭。「今天宮中大家都在討論此事。」

不知是否過於興奮，博雅的臉微微發紅。

「對方仍是那女子？」

「好像是。」

博雅說這話時，蜜蟲剛好端著盤子過來，盤上置著酒瓶、酒杯。

「那，你先用酒潤潤舌，再慢慢說給我聽，博雅。」

「好。」博雅剛說畢，兩個酒杯已斟滿酒。

博雅伸手取酒杯，一口氣喝乾後，開始說起事情的來龍去脈。

五

據說，俵藤太那時正在熟睡，卻突然自睡眠中醒來。

醒來後，他立即明白原因何在。

是氣味。甘美的氣味。

外面一片漆黑，樹木、葉子、雜草都在夜氣中靜靜地吐出白天所積存之物。

那香味如發酵般溶在黑夜裡，飄蕩在夜色中。

然而，藤太聞到的不是那氣味。

若是那氣味，他不會醒來。

因聞到與平時不同的氣味，他才醒來。

那氣味與梅雨將來前的夜晚不同。是焚香般的氣味。

因此他才醒來。

那是至今為止從未聞過的氣味。

他以為有人穿著薰了這香的衣服來到自己寢室。所以才醒來。

可是，寢室內不見任何人。

藤太在被褥內確認那氣味般地徐徐呼吸。

甘美氣味又從鼻子飄入，睡意再度侵襲藤太。他馬上覺得很怪。

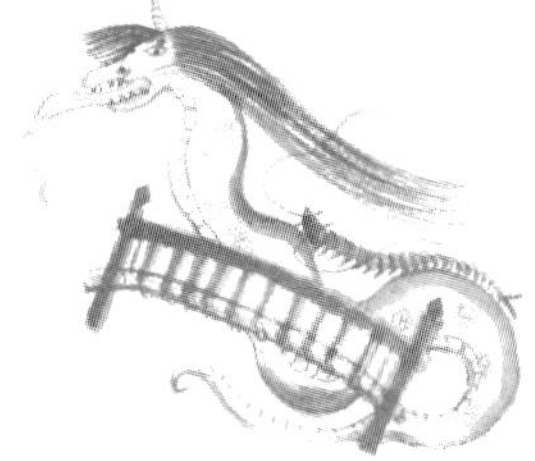

明明因異於平常的動靜而醒來，爲何又會想睡？

很怪。是這氣味嗎？

這麼一想，藤太停止呼吸。

他停住呼吸，伸手至枕邊摸到擱在一旁的瓶子。

藤太經常在半夜覺得口渴。爲此枕邊總擱著盛水的瓶子。

他將瓶內的水潑在睡衣左袖，用沾濕的袖子掩住鼻口。

慢慢地呼吸。睡意消失了。

這時，他已將擱在被褥旁的黃金丸攬在腹部。

右手握著黃金丸刀柄，微微拔出，以便隨時能抽出。

如此，藤太等著。等著看將會發生何事。

黑暗中，藤太嘴角浮出無畏的笑容。

他雖曾打算起身點燃燈火，叫醒宅邸內的人，繼而猜想，看這樣子，宅邸內的人大概都因這氣味而陷於沉睡中了。

再說，大聲叫喊，反倒會更深吸入這氣味。

雖不知來人是何目的，但若有人在某處焚燒這安眠香，不久來人一定會侵入屋內。

爲此，才特地焚燒安眠香，讓屋內人都陷於沉睡吧。

假若現在叫嚷起來，打算闖入屋內的人很可能逃走。

既然如此——

「不是很沒趣？」

藤太在黑暗中微微蠕動嘴唇，用不成聲音的聲音說給自己聽。

無論如何，來人不可能不知這宅邸住著什麼人物。

對方應該知曉這兒是俵藤太府邸。

若是如此——

「不是太小看我了？」藤太暗忖。

他打算捉住闖入屋內的人，逼問對方來此的目的。

倘若人數太多，僅抓一個。其餘全殺掉也好。

只是，對方應該不可能立即進來。

若現在進來，盜賊也會因聞到這安眠香而陷於沉睡。

換句話說，盜賊進來時也正是安眠香失去效用那時。

藤太甚至已考慮到這點。

雖已五十過半，但技藝及氣力都還未減弱。

他繼續等。不久——

庭院傳來動靜。不僅一、二人。

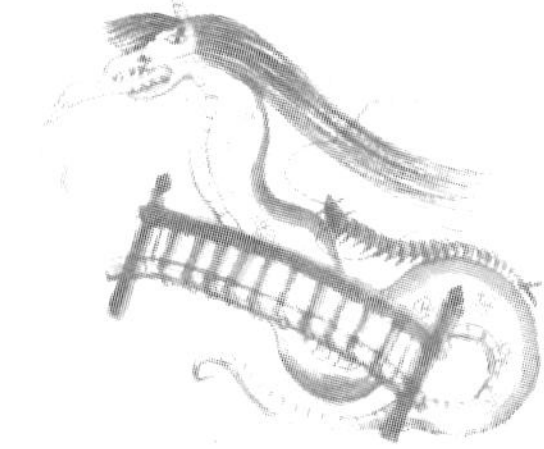

三人——

四人——

藤太在被褥內計算人數。

「四人嗎？」

竊竊私語的聲音傳來。盜賊似乎在低聲交談。

「可以了吧。」

「大家都睡著了。」

「俵藤太的寢室在哪裡？」

「在那邊。」

聲音如此說。動靜逐漸挨近。似乎有幾人自庭院登上窄廊。

接著傳來掀開格子板門的聲音。有人進入寢室。

「好暗。」

「搜！黃金丸一定在寢室某處。」低沉聲音傳來。

「藤太呢？」

「正睡得不省人事。」

「叫醒他問問看吧？」

「叫醒就麻煩了。搜。」

足音窸窸窣窣地挨近。藤太沒立即跳起來。
他輕輕舉高蓋被，依舊躺著，將黃金丸撂向站在附近的盜賊腳邊。有觸感。盜賊之一「哇」地叫出來。
其他盜賊踢著地板跳回庭院。再回來時，手中已拔出刀。
藤太揮刀的同時也低身滾到寢室一隅，再起身。
但他仍低著身子，支著單膝，右手握著出鞘的黃金丸。
庭院有三個身穿黑衣的男人。月光中可見他們拔刀站著。
三個臉上都蒙著布。另一名盜賊蹲在寢室內。
「怎麼了？」外面的盜賊問寢室內夥伴。
「左腳踝被砍斷了。」蹲在室內的盜賊答。
鮮血味溶於夜氣中。
「黃金丸在我手中。」藤太保持低身姿勢說：「想要的話，過來奪取。」
藤太剛說畢，咻一聲，有某物朝藤太的臉破空飛過來。
藤太揮舞黃金丸打落那某物。
斷成兩半的箭落地，箭頭那端插在地板上。
趁這瞬間，蹲在寢室內的盜賊騰空跳起落立在庭院。
他似乎只靠右足便跳至半空。

是個本事相當高強的傢伙。

藤太想隨後追去，咻地又飛來一枝箭。藤太再度打落。

仔細一看，盜賊身後站著個身穿十二單衣的女子，手中握弓。

在微弱月光下只能看出是個女子，看不清她的容貌。

「你們是闖入小野好古大人宅邸同批人吧？」藤太問：「說！爲何想偷我的黃金丸？」

藤太呼吸微微急促起來。

即使只聞了些許，但因聞了安眠香味道，軀體無法如常行動。

女子和盜賊都默不作聲。

雙方互相瞪視。

冷不防——

盜賊之一舉刀揮向剛剛跳出來的夥伴，砍下。

砍斷肉與骨的聲音同時響起。

挨刀的盜賊自左膝蓋下的小腿被砍落。

失去小腿的盜賊沒發出叫聲，只低沉呻吟了一下。

「因爲黃金丸砍傷的傷口不會癒合。」砍斷夥伴小腿的盜賊低語：

「走！」

兩個盜賊合力扛起被砍斷腳的盜賊。

四個盜賊和女子在黑暗中拔腿奔馳。

「慢著！」藤太追著盜賊跳下庭院。

他打算開跑時，突然發覺一件事。眼前有塊大石頭。

藤太不記得有這塊石頭。這是塊牛般大小的黑石。

藤太知道此處應該沒這種石頭，禁不住停下腳步。

這時，那牛般大小的石頭動了起來。

石頭四處伸出裹著濃密獸毛的長手足。

原來是隻巨大黑蜘蛛。

八隻眼在黑暗中閃閃發出紅光。

那蜘蛛朝藤太襲來。

「喝！」藤太揮著黃金丸砍向蜘蛛。

咚一聲，一隻像人手臂那般粗的蜘蛛腳落在地上。

藤太打算繼續揮砍時，蜘蛛用七隻腳沙沙撥開庭院矮樹叢，奔至裡邊圍牆，眨眼便越過圍牆逃至外面。

這時，盜賊和女子蹤影早已消失。

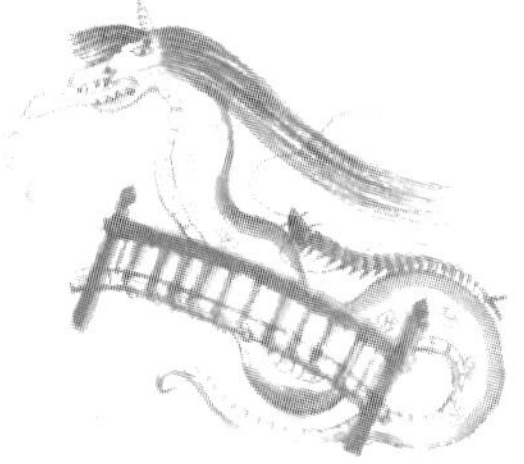

「據說可能是闖入小野好古大人宅邸的同一夥盜賊，話說回來，眞不愧是俵藤太大人……」博雅的口吻有點興奮，「宮中現在都在談論這話題，晴明……」

「原來如此，原來是藤太大人宅邸……」

晴明不知是否另有所思，聲音平靜得近乎冷淡。

「聽說事後只剩下被砍斷的盜賊腳踝和小腿，這也實在是很駭人聽聞的事。」

「嗯。」

「聽起來雖有點殘忍，但畢竟是盜賊先闖進來，萬一有什麼差錯，也許喪命的正是藤太大人，想到這點，或許這也沒辦法吧。」

不知是不是受晴明影響，博雅也壓低聲音。

「據說遭黃金丸砍的傷口二十年無法癒合，他們大概爲了除去被黃金丸砍傷的腳踝傷口，才再度砍斷小腿吧。」晴明說。

「可是，晴明，盜賊爲什麼想搶奪黃金丸？」

「我怎麼會知道詳情？藤太大人怎麼說？」

「他說不知道理由。」

「是嗎……」

晴明低語，接著不知想起什麼，突然又抬起臉。

「原來如此，是黃金丸。」

「晴明，什麼意思？」

「先是小野好古大人，再來是平貞盛大人，這回是俵藤太大人和黃金丸……」

晴明頓住口，似乎在回憶某事。

「你明白了什麼嗎？」

「不是明白了什麼，是察覺一件事。」

「察覺什麼事？」

「沒什麼，現在不要說出比較好。反正一切還不清楚。」

「喂，晴明……」

「什麼？」

「告訴我有什麼關係？」博雅不高興地說：「愛賣關子是你的壞習慣。」

「我並非賣什麼關子。」

「這不是很不夠意思？晴明。」

「不是，我怕萬一說錯話，讓事情變得更複雜也沒意思。」
「晴明，不管你現在說什麼，只要你說不能張揚，我一定不會說出去。」
「不，要是我沒猜錯，事情好像不是那麼簡單。」
「可是……」
「博雅，再等些日子。我不是打算瞞你而去告訴別人。倘若我想告訴別人這事，一定先告訴你，所以暫且饒了我吧……」
「明白了……」博雅雖仍無法心服地鼓著臉頰，卻也點頭答應。
「結果，博雅，果然來了。」晴明道。
「來了？什麼意思？」
晴明故意轉換話題，博雅卻似乎沒察覺晴明的意圖。
「平貞盛大人遣人來了。」
「是那件事啊？」
「嗯，來了。」
「這表示那位大人沒成功？」
那位大人——指的是蘆屋道滿。
「這就不知道了。在你來之前，貞盛大人宅邸遣人過來，請我明天務必過去一趟。」

「這不是表示道滿大人也束手無措嗎……」

「明天去就知道答案。」

「明天你要去？」

「去。」

「可是，既然道滿大人也束手無措的話……」

「束手無措的話會怎樣？」

「晴明，這是你自己說過的。說你辦得到的事，道滿大人也辦得到，道滿大人辦不到的事，你也辦不到……」

「意思有點不同。」

「怎麼不同？」

「道滿大人沒插手任何事，我先做的話，結果可能跟道滿大人一樣，但無論我明天將做什麼，都是在道滿大人做了某事後而做。」

「這樣啊。」

「問題在道滿大人最初到底做了什麼，他做的事對我來說會起好作用或壞作用，目前還不知道。」

「那之後過了幾天？晴明，三天嗎？還是四天……」

「四天。」

「晴明，你該不是打算單獨一人去吧？」

「博雅，你也要去？」

「去。」

「好，那我們明天一起去。」晴明點頭，又說：「可是，既然如此，博雅，我想託你一件事，你能不能答應？」

「什麼事？」

「不是什麼難辦的事。」晴明道。

卷四 瘧鬼

一

明亮陽光照在庭院。

纏在松樹上的藤樹，掛著好幾串如果實般沉重盛開的藤花。

看似紫色又像青色的顏色，很刺眼。

晴明已做好出門準備。他正坐在窄廊等博雅到來。

庭院中可見好幾隻飛舞的鳳蝶。

嫩葉逐日轉濃。

坐在陽光中，若沒風會暖得出汗，但此刻不停有搖晃櫻葉的清風沙沙吹來。

晴明的視線追著環繞藤花飛舞的鳳蝶。

這時——

「晴明大人。」聲音響起。

望向聲音傳來的方向，原來是身穿十二單衣的蜜蟲站在晴明身後。

「蘆屋道滿大人駕臨。」蜜蟲說。

「嗯，我知道。」晴明點頭。

「請他到這兒來嗎？」

「沒那個必要。」晴明將視線移回庭院說：「已經來到這兒了。」

晴明舉起右手伸出細長食指，指尖指著一隻在庭院飛舞的鳳蝶。

結果——

晴明指的那隻黑色鳳蝶邊在半空飛舞邊飛向晴明。

鳳蝶停在晴明伸直的指尖。

鳳蝶在晴明指尖不停展翅又收回羽翼。

晴明將指尖縮回眼前對鳳蝶說：

「這隻鳳蝶昨天就放到庭院裡了吧。」

「沒錯。」

聲音響起時，鳳蝶也飄然落在窄廊。

原來看似黑鳳蝶的是一張折成兩半像鳳蝶形狀的黑紙。

「被你識破了，晴明。」

自庭院響起道滿的聲音。

樹幹纏著藤樹的松樹，最頂端枝頭坐著個老人。

是身穿黑水干的老人。

「找我有事嗎？道滿大人。」晴明問坐在松樹枝頭的老人。

「嗯，有事。」松樹上的道滿答。

瞬間，道滿身子看似浮在半空。繼而咚一聲，道滿已自半空降落在庭院石頭上。

落在石頭上後，道滿用腳左右撥開庭院草叢，挨近晴明。

他右手插進白髮中，臉上掛著難為情的笑容，喀哧喀哧地搔頭。

來到晴明面前，道滿低聲道：

「失敗了……」

「連道滿大人也……」

「嗯。」

道滿停止搔頭望著晴明說：

「讓你做的話，你也一樣會失敗，晴明。」

「我知道。」

「哼哼……」

不是笑聲，道滿微微哼著鼻子坐在窄廊邊緣。

「聽說貞盛傳喚你過去……」

「您昨天用那個聽到我跟博雅的交談了？」晴明望著剛剛仍是鳳蝶形狀的紙張。

「嗯。」道滿點頭，問晴明：「你現在要去？」

「是。」晴明望著道滿說。
之後，兩人默不作聲，沉默了一會兒。
「你不問？」道滿先開口。
「問什麼？」
「問貞盛那邊到底發生了什麼事。」
「問了，您會回答嗎？」
「不會。」
「我想也是。」
「還是聽貞盛親口說較好。」
「我會照辦。」晴明紅唇浮出微笑，問道滿：「您今天來有何貴事？」
「吾人打算作壁上觀，看你如何應付那東西。」
「作壁上觀嗎？」
「沒錯。」
「想必發生很傷腦筋的事了。」
「晴明……」道滿望著晴明，眼神彷彿小孩對某事不滿似的。
「是。」說畢，晴明再度笑了。
「有什麼可笑的？」

「您果然想在事前對我說些什麼吧？」晴明說。

「唔，沒錯。」道滿又用指尖搔頭。

「我洗耳恭聽。」晴明道。

「那東西，相當棘手。」道滿說。

「是嗎？」

「那不是某物附身不附身的問題。」

「那麼，是什麼呢？」

「沒法比喻。」

「……」

「那東西，搞不好會顛覆這京城。」

「京城嗎？」

「嗯。」道滿聲音恢復氣勢。「京城會顛覆。」他愉快地說：「保憲那傢伙大概已察覺這事了。」

「保憲大人已察覺？」

「所以他才託你插手這事吧，晴明……」

「……」

「可是，京城會變得如何都跟吾人無關。你呢？晴明。」

「我怎麼？」

「你內心也跟吾人一樣，認爲京城會變成如何都無所謂吧。」

「我看起來是這樣嗎？」

「是這樣。」

「……」

「哎，算了，晴明。」

道滿抬起腰再次站在草叢中。那隻黑鳳蝶在道滿身邊飛舞。

是至方纔爲止應該已變成紙片落在窄廊的那隻鳳蝶。

那隻鳳蝶朝晴明飛來。

「帶牠去，晴明。」道滿說：「牠會擅自跟你前去。若你不喜歡，隨你便。」

「是。」晴明點頭。

「吾人期待你的結果。」說畢，道滿背轉過身。「吾人會作壁上觀。」

道滿撥開草叢走向庭院，不久，拐過屋子角落消失了。

鳳蝶停在目送道滿背影的晴明左肩。

二

咯吱，咯吱，牛車輾著泥土前進。

晴明和博雅坐在造得較寬的牛車內。

車輪嚼著泥土的聲音從腰部響至背部。

晴明和博雅都默默無言。

博雅似乎想和晴明攀談，但晴明始終默不作聲，博雅也就開不了口。

來到大約半途時——

「博雅。」晴明總算開口。

「什麼事？晴明。」一直在等晴明開口的博雅，鬆了一口氣似地問。

「你要有心理準備。」晴明低聲說。

「心理準備？」

「嗯。」

「什麼意思？」

「我們好像捲進相當危險的事。」

「是怎麼回事？晴明……」

「不知道。」晴明說：「我還預測不出將會發生什麼事。」

三

晴明坐在圓草墊上，與平貞盛相對。

兩人之間和上次一樣隔著垂簾，看不清貞盛身姿。

貞盛坐在垂簾內邊飾菱紋的榻榻米上。跟上回一樣，臉部裹著布條，只露出雙眼。

上次只有晴明和貞盛兩人會面，這回多了三人。

與晴明並坐的是源博雅。

其他兩人也並坐在一旁距離較遠處，似乎在觀察晴明。

晴明和博雅進來時，這兩人已在場。

一是六十歲左右的老人，瘦削身子蜷得小小地坐在那裡。

另一個年約四十左右。表情僵硬，雙脣緊閉。

「勞駕了，晴明大人……」貞盛在垂簾內說：「結果，還是請你來了。」

「是。」晴明點頭。

「只是沒想到源博雅大人也大駕光臨……」

「是我託他一起來。」晴明說。

「是嗎？」貞盛點頭，看似在問理由。

「有關這類事，博雅大人看法超群拔類。因博雅大人的意見，我曾不只一、二次受過很大幫助。」晴明恭敬行禮。

「若打攪了您，我可以立即退下……」博雅說。

「讓特地前來的博雅大人辭去的話，我沒臉面對其他人。有關這事，既然我已託晴明大人包辦，怎麼可能拒絕晴明大人帶來的人呢？」貞盛道。

在此，貞盛似乎已結束這話題般，換了話題。

「今天在那邊靜候的是醫師祥仙大人……」

貞盛說畢，老人向晴明和博雅行了個禮說：

「在下是祥仙。」

「一旁是我兒子，他叫維時。」

聽貞盛如此說，較年輕的男子望著晴明，恭敬行禮。抬起臉後，隔了一會兒才說：

「在下維時。」

「說起來，這惡瘡是十九年前長出的。那以後一直受祥仙大人照顧。」貞盛說。

「十九年前？」

「那時多虧祥仙大人，十天就痊癒，結果今年又長出這東西來。」

「這東西？」

「我臉上的惡瘡。」

貞盛的聲音自垂簾內傳出。因裹著布條，聲音含糊不清。

「有關這惡瘡，我想，與其問我，不如問祥仙大人較好，因此今天才請他到此地。」

「十九年前，您如何醫治？」晴明問祥仙。

「用一包紫雪①加二成水，每天喝三次，再塗上我調配的藥劑。」

「藥劑？」

「硫磺加麻油，再混入熬過的八角附子、苦參、雄黃，塗在患部。」祥仙說。

原來如此，這是惡瘡的一般治療法。

「用這方法，十天就好了？」

「是。」

「這回起初也是祥仙大人醫治嗎……」

「是。」

「何時開始？」

「今年年初便長出惡瘡，我接到傳喚。」

①以羚羊角、水牛角、麝香、朱砂、玄參、沉香等成分製成，能清熱解毒。

「這回您用什麼方法？」
「跟十九年前一樣。」
「結果呢……」
「完全沒痊癒跡象，惡瘡反而愈長愈多。」
「是嗎？」
「我用盡各種方式，這回完全束手無措。」
「這回的惡瘡和十九年前不同嗎？」
「依我看來，惡瘡跟以前一樣……而且，這惡瘡，不僅十九年前，在此之前也好幾次出現在貞盛大人臉上，每次都是我醫好的。」
「既然至今爲止醫好過幾次，這回醫治方式也跟過去一樣，爲何無法醫好呢？」
「這個，正是我百思不解之處。」
「我尚未請問，到底是什麼樣的惡瘡……」
「這……」
「有問題嗎？」
「我剛剛雖稱爲惡瘡，其實我也不清楚那東西到底是什麼。」祥仙瘦弱的身子像是要折斷似的歎道：「一般說來，瘡以疔瘡爲首，有癬瘡、皰瘡、丹毒瘡、疥瘡、浸淫瘡、夏日沸爛瘡、王爛瘡、反花瘡、月蝕瘡、漆瘡等等，五花八門。會癢的是癬瘡、疥瘡……疔瘡若搔破而出膿，即便碰觸衣服也會痛。搔的話會腫脹如蛋，搔破會出膿，變成紫黑色，聞起來很臭……」

「是。」

「到最後，可切開或以針刺故意擠出膿汁來治療……」

「是。」

「可是，貞盛大人患的惡瘡並非這類瘡。」

「是什麼瘡？」

「接下來就不是我能隨口說的了。請晴明大人自己看看，我想，這比我說明百言更快。」

「有道理……」晴明點頭，視線移向垂簾內，探詢道：「正如祥仙大人所說那般。」

「……我已有心理準備。」垂簾內傳出貞盛下定決心的聲音，說：「晴明大人，請過來。」

「失禮了……」晴明起身。

晴明從左側進入垂簾內。

「博雅大人，您呢？」貞盛的聲音又傳來。

「可以嗎？」博雅問。

「當然。」貞盛說後又喚了一聲：「維時……」他向方纔起一直默不作聲坐在原位的維時說：「太麻煩了，把垂簾捲起。」

維時只遲疑了一瞬。

「是。」

維時點頭，起身挨近垂簾，往上捲起。

垂簾內現出裹著布條端坐的貞盛身姿。

「博雅大人，今晚您到底會做什麼夢，我可不負責。」

貞盛的聲音帶著挑釁。

說畢，頓了一口氣，貞盛親手取下裹在臉上的布條。

看到布條下出現的貞盛臉龐時——

啊！

博雅險些發出叫聲，幸好及時吞下。

那是張奇怪的臉。

幾乎有半張臉都埋在好幾個腫瘤般的東西之下。

每個腫瘤都約有雞蛋那般大。

而且有二、三十個，不，因腫瘤上又長出像腫瘤的東西，所以數量應該

超過一百個。也有幾個腫瘤擠在一起成爲一個大腫瘤。

右眼幾乎已埋在腫瘤下，只剩下縫隙勉強能看出那是眼睛。

頭上也長著腫瘤，長出腫瘤之處，頭髮大半都掉光，因此只有左半頭部有頭髮。

博雅沒別過臉，是因爲那光景太悽慘，視線反倒黏在那上面。

而且腫瘤表面已變成紫色，又不知是不是時常用手指搔癢，腫瘤傷口破裂，流出膿血。

「怎樣呢？」貞盛說。

布條雖已取下，但或許嘴唇右側因既非腫瘤又非瘡的東西而變形，貞盛的聲音依舊含糊不清。

「啊，好癢……」貞盛道：「如此吹到風又會奇癢無比，很想用手指搔個痛快……」

晴明泰然地望著說這話的貞盛。

「貞盛大人……」晴明說。

「什麼事？」貞盛點頭。

「這瘡，是同時出現在臉各處嗎……」

「不是。」

「最初出現在哪裡……」

「這裡。」貞盛用右食指貼在自己額頭右側。

之後——

「唔……」貞盛發出叫聲，食指彎成鉤狀，呻吟般說：「好癢……好癢……」又全身發抖地說：「這樣碰觸，就很想用指頭去摳……」

他看似全身都在忍耐從身體內部湧出的強烈慾望。

貞盛好不容易才讓指尖離開額頭腫瘤。

「請恕我失禮。」

晴明伸出右手，手掌貼在貞盛額頭右側。

正是腫得最厲害，膿血黏著最多、還未全乾之處。

晴明閉眼，口中喃喃唸起咒文。

突然——

「嗯？」

晴明停止唸咒，睜開眼睛。

「這是……」

他低聲自語。

「奇怪……」

晴明手掌仍貼在貞盛額上，一副莫名其妙的表情。

「怎麼了……」貞盛問。

「沒什麼。」晴明低道，再問貞盛：「這處，以前是不是有什麼舊傷？」

「是的……」

「是什麼傷？」

「刀傷。」

「那是……」

晴明還未說畢，他手掌下的腫瘤滑動了一下。

腫瘤上下蠕動，冷不防迸開般地出現個開口。

方纔為止，看似連刀刃都插不進去的那地方突然睜開個圓口，出現個沾滿膿血的濕潤眼球。

那眼球，狠狠瞪著晴明。

「沒用、沒用。」貞盛說：「上次那老頭子好像也只明白這點而已。」

然而，那聲音並非貞盛之前的聲音。

「但是，他不是也束手無措嗎？」

是沙啞、駭人的聲音。

瞬間，貞盛看似判若兩人。

「又出現了。」同一雙嘴脣說。但聲音是之前的貞盛。

「噢，你是不是又找來什麼陰陽師了？」這不是貞盛的聲音。

「你用我的嘴巴說什麼鬼話？」

「沒用啦、沒用啦。」

「退下，你這妖物！」

「呵呵呵。」貞盛的嘴脣以別的聲音笑著。

「喂！」

「咯咯咯。」

「退下！」

「哇哈哈哈！」

狂笑的那聲音突然變成慟哭聲。

「啊，悲哀啊。啊，痛苦啊。」

貞盛扭動身子。

「有人能救我嗎？」

脖子左右甩動。

「痛啊、痛啊……」

「悲哀啊！」

「痛苦啊！」

「難受啊！」

晴明已收回手掌，凝望同時發出貞盛與非貞盛聲音的嘴脣。

「混蛋。這是我的嘴脣，我的聲音。你別以爲我會一直被你霸占。」

貞盛支著單膝左右搖頭。

「那你打算怎樣？」

「就這樣。」

語未畢，貞盛便用牙齒喀哧猛力咬住自己下唇。

卷五 牛車問答

一

牛車往前駛。

車輪咯吱、咯吱地踏著泥地前進。

晴明默默無言。

博雅似乎配合晴明地緊閉雙脣。

他們方纔離開平貞盛宅邸。進牛車後，兩人就一直默默無言。

偶爾，博雅像是探詢般地注視著晴明的臉，晴明像是知道又像不知，視線始終望著虛空。

博雅焦躁起來，呼喚晴明：

「晴明啊。」

然而，晴明視線依舊望向遠方。

「晴明。」

博雅大聲叫喚，晴明才總算將視線移到博雅身上。

「什麼事？博雅。」

「剛才那事。」

「剛才？」

「你明白了什麼嗎？那到底是什麼？」
「不知道……」晴明簡短回答。
「什麼?!」
「那不是三言兩語能說明的。」
「我沒要你用三言兩語說明。」
「話雖如此……」
「到底怎樣？」
「正如道滿大人說的。」
「他說什麼？」
「總之，那是很棘手的東西……」
「……」
「並非單純有什麼附在貞盛大人身上。」
「你是說無法祓除？」
「就某種意義來說，那也是貞盛大人自己。」
「什麼？」
「是貞盛大人自己將要開始化爲那東西。」
「什、什麼……」

「若要祓除或消滅那東西，表示……」
「表示什麼？」
「表示可能也會除掉貞盛大人。」
「你打算放棄？」
「我沒這樣說。」
「那你打算怎樣？」
「我有些盤算。打算兩、三天後再去一趟。」
「你剛才也對貞盛大人這樣說了。」
「嗯。」
「剛才貞盛大人暫且穩定下來，我也鬆了一口氣。」
「說得也是。」
「貞盛大人想咬破自己嘴脣時，我那時也不知事情會變得如何……」
「不過，我在意的是道滿大人。」
「嗯。」
「主要是道滿大人在我之前做了什麼……」
「結果剛才沒機會問。」博雅說。
貞盛雖恢復理智，卻咬破下脣流出大量鮮血，因此根本沒機會問此事。

「今天我只是來探看樣子，往後的事，改天來拜訪時再說吧。」

剛才晴明如此說後，才離開貞盛宅邸。

「不過大概不用過兩、三天，也許可以更快知曉道滿大人到底做了什麼……」

「什麼意思？晴明……」

「若事情如我想像那般，很快就能知道。」晴明回答得很冷淡。「先別管這事，博雅，我託你的事呢？」

「啊，那事嗎？」博雅點頭。「你要我去探聽藤原師輔大人和源經基大人的狀況。」

「嗯。」

「你是要我去探聽他們身邊有無發生什麼怪事，或有無生病吧。」

「正是如此。」

「師輔大人那邊沒什麼特別變化。他的樣子跟平素一樣，也沒聽說任何怪聞。」

「源經基大人呢？」

「這邊有。」

「有？」

「他似乎有煩惱。」

「博雅，仔細說給我聽。」

「嗯。」

博雅點頭，開始講述。

二

據說源經基是兩個月前第一次做那個夢。

夢中出現個身穿白衣的女子。

她右手拿錘子，左手握著五寸釘。容貌不清楚。

那女子挨近熟睡中的經基。

經基想出聲卻發不出聲音。因那女子看上去很駭人。

想逃，也無法逃。

身體如石頭那般重，無法起身。他覺得好像有無數隻手自上壓住他的手腳。

事後想想，才明白那是做夢，不過當時他不認爲那是夢。

女子站在躺著的經基腳邊，自上俯視經基。

但經基全身無法動彈。他只能自下仰望女子。

女子以憎恨眼神望著經基一陣子，之後蹲下來。

她用手中釘子尖勾住經基被子，掀開。

經基雙腳露出，可以感覺風冷冷地拂過腳邊肌膚。

女子用釘子尖貼在經基右腳。剛好是小腿骨上。

之後——

咚！

女子用手中錘子敲打了釘子頭。

喀！

釘子尖觸及小腿骨頭，鑽進骨頭。一陣劇痛。

經基想大叫，卻發不出聲音；想逃，身體也無法動彈。

不只一次。兩次、三次、四次……

女子不停用錘子敲打釘子頭。

每次敲打，釘子就咯吱鑽進小腿骨。

最後終於將釘子全部敲打進去，女子才站起來。

她蓋回被子，俯視經基，露出柔和微笑。

「我會再來……」女子紅脣如此低語。

接著，背轉過身，女子徐徐往外走。

翌朝——

醒來時，經基仍清楚記得夢中內容。很恐怖的夢。

他看了看右腳，當然沒被釘子釘進去，也沒傷痕。只是那地方有點發熱。

到底是做了那種夢才發熱，還是那地方發熱才做了那種夢？

總之，過去偶爾也會做那種夢。

然而——

七天後，他又做了相同的夢。

那名白衣女子又來到熟睡中的經基腳邊，再度敲打釘子。

這回是左腳小腿。經基依舊全身無法動彈，發不出聲音。

「我會再來。」女子如此說後，跟上次一樣離去。

翌朝，左腳果然有點發熱。而且七天前的右腳也仍在發熱。

雖然兩次做了類似的夢很怪，但連續幾次做類似的夢也並非罕事。

經基盡量不去介意，但隔了七天夜晚，他又做了相同的夢。

這回是右膝。女子在他膝蓋骨釘進五寸釘。

到了第三次，經基才開始認爲自己身上大概發生了什麼事。

他想，若有第四次，應該也是再隔七天夜晚。
果然如他所料。
第七天夜晚，女子又出現夢中，這回把釘子釘進左膝蓋骨。
這一定有原因。經基認爲可能有人在詛咒自己。
而且釘釘子的地方逐漸往上移，這點非常恐怖。
到了第五次時，經基終於請來陰陽師做占卜。
「有人對你懷恨在心。」陰陽師說。
「對方是誰？」經基問。
「不知道。」陰陽師搖頭，並告訴經基：「最好換個場所睡。」
接著的第七夜，經基特地到他的女人住處過夜。
然而——
睡覺時，那女子又在夢中出現。
「原來你跑到這兒來……」
出現的女子俯視經基，用溫柔得令人心寒的表情微笑道。
女子不是站在腳邊。是枕邊。
釘子尖貼在經基額上。女子揮下錘子。
咯！

釘子穿破頭骨，鑽進頭顱內部。那時的恐怖簡直無以形容。

女子就在靠近經基的臉龐上方，帶著溫柔微笑俯視經基。把釘子敲進頭顱。

第二天起，經基頭部發熱，一直疼痛著。

疼痛自釘子釘進之處往頭部中央一陣陣襲來。

接下來的第七天夜晚，經基讓陰陽師整夜陪在身邊唸咒避邪，但女子仍出現了。

陰陽師在枕邊結印唸咒，女子卻若無其事地經過他身旁。

陰陽師看不到女子身姿。

女子將嘴脣湊近經基耳邊竊竊私語：

「別白費勁了……」

這回是耳朵。釘子釘進耳朵洞裡。

經基全身開始發燒。以釘子釘進的地方爲中心，全身發痛。也全身發熱。

也無法進宮工作。

三

「因此經基大人一直臥病在床。」博雅說。

「原來如此。」晴明點頭。

「晴明，此事跟這回的事件有關嗎？」

「不知道……」

「我覺得，到好古大人那兒的女子跟經基大人夢中出現的那女子，似乎有牽連。」

「不，還不能這麼早下斷論。」

「可是，晴明，那你爲何要我探聽經基大人和師輔大人？」

「有件事讓我很在意。」

「什麼事？你在意什麼？」

「博雅，有關這事，你和我都知道得不多。」

「那又怎樣？」

「仔細想，你應該也能推斷出來。」

「不，我不明白。就是不明白才問你啊。」

博雅說到此，晴明接口：「慢著……」

「怎麼了？」

「我剛才不是說可能很快就能知道答案嗎？」

「什麼答案？」

「道滿大人到底在貞盛那兒做了什麼。」

「什麼？」

「看樣子似乎來了。」

晴明說這話時，牛車也同時發出咯吱聲停下來。

博雅莫名其妙地掀起垂簾往外看，牛車前站著一位女子。

她身穿重疊的青色單衣，爲了不被看到臉，頭上覆著披衣。

「請問這是安倍晴明大人和源博雅大人的牛車嗎？」披衣內傳出女子聲音。

牽牛童子還未回答，晴明在牛車內先說：「我是安倍晴明。」

女子挨近牛車旁，停下來說：

「有人想見晴明大人。」

晴明沒問對方何事。他似乎明白內情，只說：

「麻煩妳帶路。」

女子行了個禮，領先走去。

「跟在女子身後。」

晴明吩咐，牛車再度咯吱往前駛。

牛車一直南下，穿過羅城門附近一棟土壁環繞的小宅前門。

女子等晴明和博雅下車後，示意兩人說：「請這邊走。」

打算跟在女子身後走的博雅，停下腳步，聞了聞風的味道。

風中有一股妙不可言的香味。

「是沉香味……」博雅以陶醉聲音說。

沉香——唐國傳進來的香木。

看樣子，女子身上衣服薰了沉香。是難得聞到的珍寶。

三人進屋。但屋內沒人。兩人又跟在女子身後來到裡屋。

裡屋坐著個男人。是晴明和博雅都認識的人。

正是方纔見過的男人。

「特地請你們來，實在很抱歉。」男人說。

他正是平維時。平貞盛的兒子。

「原來是這麼回事……」

晴明在已準備好的兩個圓草墊之一坐下，如此說。

博雅坐在並排的另一個圓草墊。

女子退到一旁坐下，並取下披在頭上的披衣。

是個膚色白皙，年約三十的女子。眼睛有點細長，唇上抹胭脂。

「我是平維時。」維時說。

可能事前已命他人退避，此處只有維時和女子在。

「上回也見過您了。」晴明道。

「原來你察覺了？」維時點頭。

「那時我只聽到聲音，沒見到您。今天拜訪府上，聽到聲音時，馬上明白是上回那位大人。」

「喂，晴明，你在說什麼？」博雅問。

「我不是告訴過你，上次拜訪貞盛大人宅邸時，歸途有人在牛車內跟我交談嗎？」

「嗯。」

「那位大人正是維時大人……」晴明說：「聽到聲音時我就明白了，心想，歸途大概又會被叫住。」

「原來你都料想到了。」

「貞盛大人呢？」

「因恢復理智，我託祥仙大人照顧。」維時望著晴明說。

「有何貴幹？」

「正是方纔那事。」

「貞盛大人的病狀？」

「是。」

「然後呢？」

「家父貞盛到底是什麼病？」維時問。

「在牛車內，我也向博雅大人說過了，這不是三言兩語能說明……」

「……」

「連我也不太清楚。」

「那位叫道滿的人也說過同樣的話。」

「提到道滿，他到底做些什麼？今天沒機會問這點。」晴明問。

「好的。」維時點頭。「我來說明。」

維時剛說畢，女子小聲叫出來。

「啊……」

博雅看過去，發現女子視線望向半空。

「蝴蝶……」女子低聲說。

原來女子視線前方——有隻黑蝴蝶繞著一根柱子飛舞。是鳳蝶。

「妳在意嗎？」晴明問。

「剛才也有隻鳳蝶在晴明大人車上飛舞……」女子說。

「妳好像很在意。」晴明說畢，望著在半空飛舞的鳳蝶說：「就是如此。」

結果——

鳳蝶飛到天花板附近，邊飛舞邊移動。不久，鳳蝶飛到外面不見了。

「這樣妳可以安心了嗎？」晴明問。

「是。」女子點頭。

似乎在等兩人交談結束，維時說：

「我忘了告訴你們，這位是祥仙大人的千金。」

女子聽維時如此說，向晴明和博雅行了個禮：

「我叫如月……」

「原來如此……」晴明望著那女子——如月一會兒，再示意維時說：「請繼續說……」

四

「道滿大人用了針。」維時挺直背脊說。

「原來是針……」

「是。」維時點頭。

「如何用法？」

「刺進額上。」

「刺進那個惡瘡？」

「不，不是刺進那個惡瘡，而是把針刺進那惡瘡和還沒長瘡之處的交界。」

「一根？」

「不，好幾根。」

「是嗎？」

「從額上開始，圍著那惡瘡，鼻梁、嘴脣、下巴、喉嚨以及頭上和後腦，都刺進針。」

「原來如此，原來他這樣做。」晴明喃喃自語。

「您知道他會這麼做嗎？」

「不。請繼續說。」

晴明催促，維時又繼續說。

刺進的針不拔掉。就那樣刺著。數量約百根有餘。

結束後，道滿得意笑著對貞盛說：「還沒完。」

當時貞盛坐在道滿前。他維持坐姿地問道滿：

「還沒完？」

道滿毫不心虛地爽快點頭。

「光如此，還無法治癒這惡瘡。不過應該可以制止惡瘡擴大……」

說畢，道滿用嘴唇含住最初刺進的那根針的尾端。用牙尖咬住針端，口中喃喃唸起咒文。結束後，換第二根針。

第二根針結束，又換第三根針，如此，道滿在刺進貞盛頭部的所有針都做了同樣動作。

「接下來……」道滿望著自己刺進的針說：「問題是之後該怎麼做。」

道滿用右手食指和拇指夾著自己下巴，歪著頭似乎在考慮該如何做。接著自言自語般說：

「這很困難……」

此時——

「應該吧。」貞盛說。

但那不是貞盛的聲音。雖然自貞盛嘴脣傳出，那聲音和貞盛完全不同。

「終於出來了。」道滿得意笑道。

「嗯。」貞盛嘴脣發出別人的聲音。

「怎樣對付你才好？」道滿問。

「隨你便。」

「吾人已經拿了人家的錢。」

「那不就行了？」

「什麼意思？」

「你什麼也不用做，就這樣回去。」

「有道理。」道滿點頭。

維時和祥仙在一旁望著兩人交談。

「可是，吾人不只爲了錢。」

「是嗎？」

「因爲有趣。」

「什麼事有趣？」

「跟你玩遊戲有趣。」道滿說。接著自懷中取出小布袋，接道：「首先，用這個試試看吧。」

他解開綁住布袋口的繩子，用右手將布袋倒在左掌上。

袋子中倒出無數黑色小東西，落在道滿左掌上。

是比芥菜子更小的粒子。

因爲落在道滿左掌上那些小粒子，每粒都開始在掌上爬動。

「噢……」觀看的維時微微發出叫聲。

原來那是細微的「蟲」。

道滿舉起爬滿「蟲」的左掌舉至貞盛臉龐，指尖觸及那惡瘡。

結果——

在道滿左掌爬動的「蟲」全體朝指尖移動。

順著道滿指尖，這些「蟲」落在惡瘡上開始爬動。

「沒用、沒用。」貞盛發出別人聲音笑道。

「是嗎？」道滿說：「要開始了……」

道滿還未說畢，眾「蟲」已各自從表面抓傷的傷痕裡鑽進惡瘡。

一隻、兩隻，蟲接二連三鑽進。有些蟲更在半乾的膿血中游泳般地鑽進去。

之後——

所有蟲都鑽進貞盛臉龐右半部——也就是惡瘡內。

「接下來會怎樣呢？」

屋內響起道滿那聽起來像笑聲的聲音。

五

過一會兒，嘴唇始終掛著駭人笑容的貞盛發出低微叫聲。

「唔……這、這是什麼？」貞盛歪著嘴唇。

咯、咯、咯，道滿低聲笑著說：「是蟲在吃食惡瘡……」接著回頭望著維時道：「能不能借用一下盆子和筷子？」

「盆子和筷子？」

「是的。」

「那我馬上……」維時支起膝蓋。

「我去吧。」坐在一旁的祥仙起身。

沒多久，走進裡屋的祥仙回到原位。手上拿著盆子和筷子。

「這個可以嗎？」

「可以。」

道滿自祥仙手中接過盆子和筷子。右手握筷子，左手舉盆子。

「喀……」

「唔唔唔……」

貞盛微微扭動身子。

「應該快了吧？」道滿挨近貞盛半步。

道滿雙眼凝視貞盛的惡瘡。貞盛的惡瘡表面起了變化。

表面在蠕動。

突然——

膿包內出現某物。是黑色小東西。乍看之下類似剛才那些蟲，但不是。

比剛才那些蟲稍大。黑色小東西冷不防從膿包內鑽出半個身子。

是尺蠖？不，比尺蠖更長。類似黑色蚯蚓。

這才是開始。之後惡瘡中不斷爬出同樣的蟲。

有些從膿包爬出來。有些咬破薄弱皮膚。

這些蟲彎彎曲曲伸長又縮小身子，在惡瘡上爬動。

眞是駭人眼目的光景。

道滿毫不懼怕，伸出握著筷子的右手。

他用筷尖夾著黑蚯蚓拉出來。自惡瘡中滑溜地拉出蚯蚓。

夾在筷尖之間，蚯蚓仍在蠕動。纏住筷子。

道滿將那蚯蚓丟進盆內。

如此，道滿自貞盛額上連續不斷拉出黑蚯蚓丟進盆內。

盆內逐漸積聚沾滿膿血的蚯蚓。

「道滿大人，那是什麼……」維時問。

「是吾人剛才放進去的蟲。」

「蟲？」

「牠們在貞盛大人惡瘡內長大，變成這樣的東西。」道滿持續同樣動作地說。

「這、這東西是？」

「牠們是吃食貞盛大人的惡瘡長大的。」道滿淡然地說。

「惡、惡瘡？」

「是。」道滿點頭，停手。

貞盛額上已沒任何蚯蚓在爬動了。

盆內擠滿了眾多黑蚯蚓，彼此廝纏、糾結、重疊蠕動。

其中也有黑蚯蚓爬上盆子內側，想從邊緣爬出來。

道滿用筷尖把它撥回盆內，問：

「貞盛大人，您覺得如何……」

「奇怪，我覺得頭好像變輕了……」貞盛答。

聲音恢復原本的貞盛聲音。

「噢，惡瘡……」維時叫出來。

仔細一看，本來因惡瘡而鼓脹的右半邊臉明顯地縮小了。

原來是惡瘡縮小了。

「維時大人……」道滿說。

「什麼事？」維時望著道滿。

「麻煩在水桶裝熱水，拿到這兒……」

「唔，嗯。」

「還有，新的布條……」

「明白了。」

盛熱水的水桶和新布條立即送來。

「用布條浸熱水，擦拭惡瘡膿血看看。」道滿說。

「我來。」祥仙道。

祥仙在熱水內浸濕布條，用布條擦拭貞盛的惡瘡。

「不要拔掉針……」道滿說。

「是。」

「擠惡瘡那般，把裡面膿血擠出來擦拭。」

祥仙照道滿所說去做，持續擦拭。不久，擦拭完畢。

「覺得如何？」道滿問。

不知是否由於擠出舊膿血，惡瘡變得更小。

「拿鏡子來……」貞盛說。

鏡子馬上送來。

「唔……」看著鏡子，貞盛發出低微讚歎。「惡瘡眞的縮小了。」

連貞盛本身也大吃一驚。

「明天再繼續做。」道滿道。

「能治癒嗎？」

「不知道，這要看明天到底會變得怎樣，目前還不能下任何判斷。不能下任何判斷……」

據說，道滿如此低語後，當天便告別了貞盛宅邸。

六

「結果呢？」晴明問。

「結果……」維時頓了一下才說：「你方纔也看過家父貞盛的樣子，應該知道吧？」

「惡瘡又恢復原狀？」

「是的。」

貞盛聽從道滿吩咐，不拔針地睡了。

結果，翌朝——

「癢啊、癢啊……」貞盛邊如此說邊醒來。

他用手指去搔額上惡瘡。

惡瘡只一夜便恢復原狀，因貞盛在睡眠中用指甲搔癢，又抓破皮膚，臉上和被子都沾滿膿血。

而且惡瘡竟從插針的狹窄縫隙往外擴展。

白天來看貞盛的道滿喃喃自語：

「這實在不行了。」

「可是，昨天……」維時說。

昨天確實用針制止了惡瘡擴展，也因蟲而令惡瘡縮小。

「總不能整天、整夜、日復一日持續那治療吧？」

道滿的口調隱含事不關己的味道。

重新插針，再一根根含在嘴裡唸咒。之後再放進蟲。

真能整天整夜毫不休息地持續此動作嗎？

「連續做三天的話結果會如何？」維時問。

但回答維時的不是道滿，而是貞盛的嘴脣。

「沒用、沒用……不是早說過了……」是與貞盛不同的聲音。

「你說的沒錯。」道滿說。

「那當然了。」貞盛的嘴脣道。

「那方式只能做到那種程度。無論持續多久都沒用。」道滿爽快點頭。

「既然如此，又該怎麼辦？」

「吾人不幹了。」道滿說。

「不幹了？」維時問。

「就是吾人不管了。」

「不管了？」

「是的。接下來去託土御門的晴明吧。」

「晴明大人？」

「維時大人，這對你來說不是很好嗎……」道滿別有含意地笑道。

「都沒用。無論陰陽法師還是土御門的安倍晴明，都將束手無措……」

貞盛的嘴脣說著，又咯咯笑道：「還是說，那個晴明能救我嗎？能讓我解恨嗎……」

「恨？」維時問。

「維時，這傢伙還不肯出去嗎？這傢伙還死纏住我嗎……」貞盛說。

「父親大人！」

「傻子，我只是模仿貞盛的口調而已……」

「什麼？」

「維時，無所謂，把我的頭顱整個砍下！」貞盛聲音叫道。

「好，砍呀。」

「砍！」

「砍！」

到底誰的聲音是誰，已完全分不清。

「去找土御門吧。」

在貞盛嘴脣發出不同聲音各說各話時，道滿留下這句話消失蹤影。

七

「原來發生這種事。」晴明點頭。

「是。」維時也頷首，再問晴明：「晴明大人，結果道滿大人做的到底是何事？」

「應該是探看狀況吧。」晴明道。

「探看狀況？」

「是的。」

「到底是什麼意思？探看什麼狀況？晴明。」博雅問。

「博雅大人……」

有第三者在場時，晴明對博雅一定用恭敬語氣。

「道滿大人大概用蟲測試附在貞盛大人臉上那東西，到底有多大力量。」

「試過後，結果如何呢？」

「這個……」

「試過後，他覺得束手無策嗎……」

「目前還不知道他是否眞是束手無策，博雅大人……」

「可是，道滿大人不是說他束手無策，才請維時大人來找你嗎……」

「博雅大人，那位道滿不是那麼容易能猜出用心的人物。」

「那，他爲何說不幹了……」

「我也不知道，只是……」晴明若有所思地含糊其詞。

「只是什麼？晴明。」

「他應該察覺某事吧。」

「察覺什麼事？」

「這個……」

晴明歪著頭，似乎故意避開博雅的追問，視線移至維時。

「維時大人。」

「是。」

「您都說完了嗎？」晴明問。

「是。」

「您有沒有察覺其他事？或還沒說出的事？」

「沒有。」

「那麼……」晴明微微停頓呼吸，吐氣時問：「維時大人，您知道世上有兒肝這東西嗎？」

「兒肝？」

「是。」晴明望著維時。

維時本來想張嘴，卻又移開視線說：「不知道。」說畢，再望向晴明問：「這有什麼關係嗎……」

「不，不知道的話就算了。」

晴明依舊凝視維時雙眼。

維時似乎禁不住晴明凝望，再度移開視線，之後向晴明行禮。

「晴明大人，家父貞盛的事全拜託您了……」

卷六

五頭龍

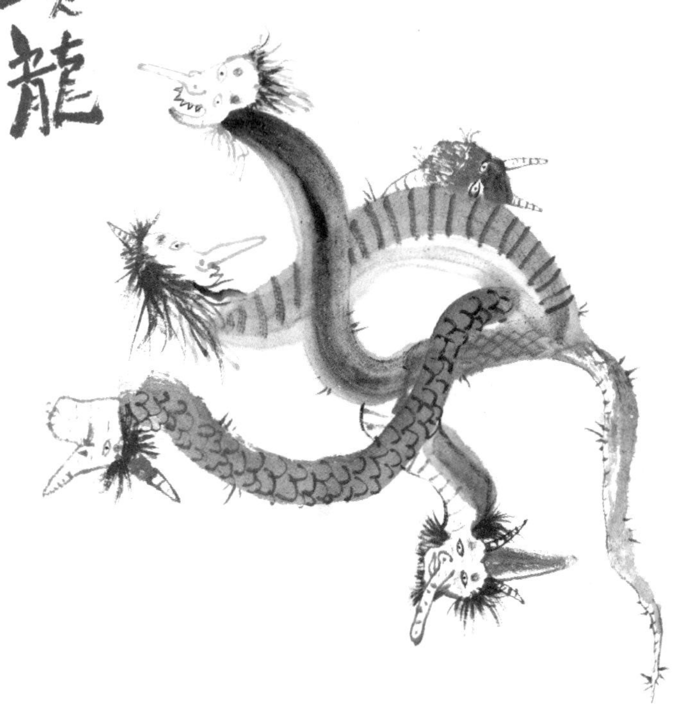

一

夕陽照在庭院藤花上。

庭院花草在柔和陽光中隨微風搖曳。

晴明和博雅坐在窄廊喝著蜜蟲準備的酒。

下山前的陽光也落在握著酒杯的晴明那白皙細長指尖上。

風中隱約有藤花香。

將酒杯送到脣邊，酒香和藤花香重疊，彷彿酒散發藤花香。

「晴明……」博雅開口。

「什麼事？博雅……」晴明舉杯至脣邊望著博雅。

「道滿大人用在貞盛大人身上的蟲……」

「蟲怎麼了？」

「蟲吃食惡瘡後，會變化成別的東西嗎？」

「因為是蟲才能如此。」

「因為是蟲才能如此？」

「嗯。博雅，你想蝴蝶會怎麼樣呢？蝴蝶起初是沒腳也沒翅膀的毛毛蟲。那毛毛蟲化為蛹，最後才化為有翅膀有腳的形狀。再說，蟲也可以令人產生變化。肚子內有蟲的話，人會瘦下去；人的相貌也因蟲寄生何處而改變。我們正是利用蟲能變化這種力量進行各種咒……」

「是嗎？」

「道滿大人在這方面非常傑出。」

「有關那個道滿大人……」

「怎麼了？」

「剛才你雖沒說出來，其實你已明白某些事吧？」

「什麼意思？」

「道滿大人爲何那麼爽快地不管貞盛大人。」

「原來是那事……」

「你說道滿大人可能察覺某些事才不管，他到底察覺了什麼？」

「這事的話，我當時不是說不知道嗎？」

「你眞的不知道？」

「嗯。」

「怎麼可能？那時維時大人和如月大人在場，你體諒他們立場才不說吧？」

「抱歉，博雅，我眞的不知道。」晴明喝光酒，將杯子擱回窄廊。

「可是，就算不知道，你也有什麼看法吧？」

「看法倒是有。」

「說給我聽，晴明……」

「說是可以……」

「怎麼了？」

「前些日子我不是對你說過了，博雅……」

「對我說過？」

「嗯。」

「說什麼？你對我說了什麼？」

「我說，有關這回的事，你知道的跟我差不多……」

「……」

「換句話說，你只要稍微動點腦筋，也可以得出跟我目前一樣的看法。我不是說了嗎……」

「你是說，我沒動腦筋……」

「不，我是叫你動腦筋。」

「我的確聽你這樣說過。可是，這跟道滿大人的事不是不同嗎……」

「問題正是這點，博雅……」

「什麼這點？首先，道滿大人不一定知道我們知道的事吧？」
「嗯。」
「光是嗯，我聽不懂。」
「道滿大人察覺了某事。我想，他察覺的事應該跟我的看法類似，但我覺得，那位大人可能察覺得更遠……」
「所以到底是什麼事，你告訴我。」
「好吧。」晴明點頭。
「你肯告訴我？」
「因爲我跟你約好，第一個告訴你。」
晴明背部離開柱子，右肘擱在支起的右膝上。
「博雅，你記得跟這回事件有關聯的人名嗎？」
「人名？」
「嗯。」
「人名怎麼了？」
「你先說說那些人名吧。」
「可是，要說是這回的事件……」博雅吞吞吐吐。
「沒搶任何東西的盜賊，最初闖進誰家宅邸……」

「那、那不是小野好古大人宅邸嗎……」

「其次呢？」

「若是沒搶東西的盜賊，其次是俵藤太大人……」

「其他呢？」

「其他？」

「沒搶東西的盜賊不是說了什麼？」

「說了什麼？」

「嗯。」

「你是說，盜賊說了誰的人名嗎？」

「不，他們不是直接說出人名。是寺院名。」

「寺院名……噢，沒錯，他們好像問好古大人，雲居寺有沒有託他保管什麼東西。」

「是的……」

「雲居寺怎麼了？」

「提到雲居寺的人物，你說是哪位？」

「哪位？」

「提到雲居寺，不就是淨藏大人嗎……」

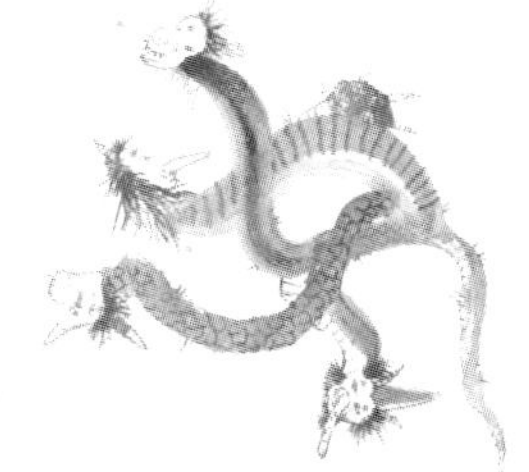

「的確是……」

「然後保憲大人來這兒，叫我去哪位大人的家？」

「平貞盛大人……」

「之後，我不是託你幫我辦事？」

「嗯，藤原師輔大人和源經基大人……」

「其中每晚做怪夢，臥病在床的是誰……」

「源經基大人。」

「對呀。雖說藤原師輔大人沒事，但你不是聽過我提起他？」

「這又怎麼了？」

「你說說至今爲止出現的人名。」

「唔，嗯。」

博雅開始唸這些人名。

小野好古。

俵藤太。

淨藏。

平貞盛。

藤原師輔。

源經基。

博雅唸出六個人名。

「這樣還不懂嗎……」晴明問。

「這樣還不懂？從人名中可以懂些什麼嗎？」

「可以。」

「你說可以，我還是不懂。不要賣關子了，你就告訴我吧，晴明……」

「等等。」

「等什麼？是你自己說要告訴我的，晴明……」

「不，我不是說不告訴你。我是說好像有人來了。」

「有人？」

博雅視線離開晴明望向庭院。因為晴明也正望向庭院。

「有人來了？」博雅問。

晴明不回答，只是望向蜜蟲，小聲喚道：「蜜蟲。」

蜜蟲明白一切似地回了句「是」，打算起身。

這時——

「不用來接了，晴明……」庭院傳來聲音。

從庭院移開視線望向蜜蟲的博雅，再度望向庭院。

結果——

方纔應該沒人在的庭院草叢中站著個男人。是身穿黑水干的男人。

「我有話對你說。」男人道。

原來是賀茂保憲站在那兒。

二

「話說回來，你也來得太突然了。」晴明說。

晴明和博雅加上保憲，三人坐在窄廊。

蜜蟲送來已盛滿酒的新酒杯。

保憲坐在可以直接望見庭院的地方。黑貓又沙門在保憲懷中露出半張臉熟睡著。

「若是上回的事，是不是來得有點早？我打算改天再去找你……」晴明道。

「是這樣的，晴明。」保憲喝了一口酒說：「發生了急事。」

「急事？」

「我認爲應該告訴你這事，所以才過來。」

「什麼事？」

「藤原師輔大人。」保憲說。

「師輔大人怎麼了？」博雅探出身。

藤原師輔，剛才與晴明的談話中才提過。

「我聽博雅大人說，前天爲止都平安無事……」

「是昨晚發生急事。」

「昨晚？」

「嗯。」

「發生什麼事？」

「遇襲了。」

「是誰襲擊師輔大人？」

「這個啊，聽說加害的不是人。」

「什麼意思？」

「是蛇。」

「蛇？」

「而且，不是一般蛇。」

「什麼蛇？」

「有五個蛇頭。」

「五個？」

「這是根據師輔大人說的，不是我親眼看到。」

「到底發生了什麼事……」

「哎，你聽我說，晴明……」

說畢，保憲開始講述。

三

夜晚——

藤原師輔正搭牛車前往女人家。

牛車往西京方向前進。

一旁跟著幾個隨從，路過神泉苑側面穿過朱雀大路，來到朱雀院附近。

月光恰好。

三條大路——

牛車咯吱咯吱咬著泥土前進。

師輔，五十三歲——仍健壯得可以出門訪妻。

牛車正要路經朱雀院一旁時，車軸咯吱一聲突然停止了。

是隨從發現前方地上有某物，停下牛車。

藉著月光仔細看，是個漆黑類似粗圓木的東西。

那東西自右而左橫躺在三條大路上，堵住去路。

一名隨從舉著火把挨近那類似圓木的東西。

湊近火把一看，原來那不是圓木。顏色漆黑，身上有濕潤光澤。

而且有著鱗片似的東西。

映著火光，表面如虹彩發出青色或綠色亮光。

「什麼事？」師輔在牛車內問。

聽到師輔聲音時，那東西在火光中蠕動起來。

「哇！」隨從發出叫聲往後退。

那東西蜿蜿蜒蜒地爬動。橫在對面的另一頭則緩緩舉起。

舉至人臉高度，又往上舉高。

類似粗圓木那東西所舉高的另一端，不只一根。分成好幾根。

在隨從眼中看上去像一束粗髮。每根都比成人手臂粗。

到底有幾根？

一根。

兩根。

三根。

四根。

總計五根。那東西高舉在夜色半空，在月光中搖搖晃晃。

其中有幾個發出綠光的東西，自上俯視眾隨從。是眼睛。

那是有五個蛇頭的巨大蟒蛇——據說在隨從眼中看來如此。

咻！咻！蟒蛇吐出瘴氣般氣息。

「到底怎麼了？」師輔又問。

聲音響起時，蟒蛇五個蛇頭同時望向牛車。

滑溜、滑溜，蟒蛇向牛車移動。

「哇！」

「妖物！」

眾隨從發出叫聲四處逃開。舉火把的隨從拋出火把。

燃燒的火把擊中蟒蛇，彈滾進牛車底。火把火焰開始舔噬牛車底。

「到底發生什麼事？」師輔掀開垂簾。

師輔探出頭看到的是眼前俯視自己的五個蛇頭。

「哎呀！」師輔發出叫聲放下垂簾，滾回牛車內。

這時火焰已移至車廂，正要熊熊燃燒起來。

牛發出叫聲想逃奔。這時，五個蛇頭已鑽進垂簾內。

牛拉著燃燒的牛車往前奔逃。

師輔的身體已自牛車內被拉出，口中發出令人寒毛直豎的恐怖悲鳴。

原來五個蛇頭口中咬著師輔，把師輔身體舉至半空。

師輔手腳啪嗒啪嗒掙扎。

此刻——

「停。」聲音響起，是男人的聲音。「放下那男人。」

眾隨從雖聽到那聲音，但不知從哪裡傳來，也不知是誰發出聲音。

不知那聲音是否傳至蟒蛇，但師輔的身體突然自半空掉落。

原來咬著師輔身體的蟒蛇鬆開師輔。

「乖孩子。」聲音又響起。

「來。」

「到這邊來。」

聲音在呼喚蟒蛇。結果，受那聲音引誘般，蟒蛇滑溜蠕動，開始移動。

蟒蛇順著三條大路往西前進——當然沒人追趕蟒蛇。

不久，蟒蛇即消失蹤影。前方可見熊熊燃燒的倒塌牛車。

牛已離開牛車不知逃去何處。

師輔躺在滾落地上即將熄滅的火把旁發出呻吟。

四

「原來發生這種事……」博雅吐出憋氣說。

「嗯。」保憲點頭。

「那，師輔大人呢？」晴明問。

「在宅邸內躺著。」

「那麼，他得救了……」

「雖還活著，但全身都有蟒蛇的咬痕。落到地上時也狠狠摔了一身傷。目前還不知道能不能保住性命。」

保憲說畢，舉起擱在窄廊的酒杯送到脣邊。

「可是，既然你爲了這事特地來此，表示這事跟貞盛大人那事有關吧？」晴明問。

「哦，」保憲將酒杯擱回窄廊，望著晴明。「晴明，這表示你的看法跟我一樣嗎……」

「是。」

「你剛剛說過，我來之前，你們正提到師輔大人。」

「說了。」

「也就是說，你已經著手準備各種事了？」

「還不知是否順保憲大人的心意……」

「正好。」保憲用指尖撫摩貓又的喉嚨說：「本來想再等一陣子，有關這回的事，現在能不能說說你的看法？晴明……」

「是。」晴明點頭。

「我來點火……」蜜蟲說後起身。

這時太陽已下山，四周逐漸昏暗。蜜蟲送燈火來時四周更昏暗，庭院角落四處開始盤踞著漆黑。

「晴明，有關這話題……」博雅等燈火送來後開口問：「是不是保憲大人來之前，我們討論的那話題……」

「沒錯。」晴明點頭。

「那麼，我也想聽。你繼續剛才那話題。」

「好的。」晴明說畢，再轉頭望著保憲說：「保憲大人，這回的事，我覺得有可疑的味道。」

「嗯。」保憲點頭。

「京城是不是有不穩動靜……」

「有。」

「那麼，果然是……」

「大概如你所想的一樣。」保憲說。

「喂，晴明，到底是什麼意思？用我也聽得懂的方式說明一下。」

博雅這句話令晴明望向博雅——

「博雅，你還記得剛才列出的人名嗎？」

「嗯，記得。」

「那些人物都跟某事有密切關係。」

「某事？」

「也可以說是某人。」

「誰？那某人是……」

「二十年前的事，這樣說你還不懂嗎？」晴明試探地望著博雅。

「二十年前？」

「……」

「那，那是……」

博雅內心似乎牽動了一下。從他的表情可以看出他正在回憶某事。

「啊、啊，原來如此，原來是那事？晴明，你是說那事……那位大人？」

博雅已恍然大悟，卻似乎沒法說出口。

「二十年前，那位大人自稱新皇……」晴明說。

「那、那位大人是……」

「平將門大人……」晴明道。

「噢、噢！」博雅發出叫聲。

「二十年前，討伐平將門大人的中心人物是藤原忠平大人……」晴明說。

「唔，嗯。」

然而忠平已不在人世。十一年前——天曆三年，在七十歲時因病去世。

「當時，前往討伐的是平貞盛大人、俵藤太大人……」晴明道。

藤原師輔、源經基也是加入討伐隊的人物。

「淨、淨藏大人呢？」博雅問。

「那時淨藏大人還身在叡山橫川①，爲了降伏平將門大人，他在該地修行大威德明王法②……」

「小野好古大人呢？」

①橫川位於比叡山北端，為比叡山三塔（東塔、西塔、橫川）中最深一處。

②大威德明王為五大明王之一（不動明王、降三世明王、軍荼利明王、大威德明王、金剛夜叉明王），以大威德明王為主所修之法，稱為「大威德明王法」，其奉修目的為調伏怨敵。

「同一時期，爲了討伐叛亂者藤原純友大人，任職追捕使的不正是小野好古大人嗎？」晴明說。

「這、這……」博雅說不出話，最後大聲叫出：「這眞是……」

卷七 鬼新皇

一

平將門之亂發生在朱雀天皇時代。

將門——具有一點皇家血緣。

柏原天皇——亦即桓武天皇①，其子孫高望親王的兒子爲鎮守府將軍良持，正是將門的父親。

住在常陸下總國②。

弓箭飾身，集眾猛兵爲伴，以合戰爲業。

是位享有英勇盛名的人物。

將門父親良持有個弟弟叫平良兼，任職下總介③。

在將門父親良持過世後，這位叔父兼良和將門經常爲了父親持有的莊園而發生糾紛。

良持持有的土地本來應該讓兒子將門繼承。良兼卻想侵占。

糾紛逐漸擴大，最後捲進平族所有人。

糾紛演變爲戰爭，承平五年（九三五年），平國香④、源扶、源隆、源繁

---

①桓武天皇，日本第五十代天皇，七三七—八〇六年在位。又稱為「天國押撥御宇柏原天皇」、「柏原帝」。

②常陸位於今茨城縣；下總位於今千葉縣北部

③「介」為副長官職稱。

④平將門伯父。

四人戰敗亡於將門手下。

又在川曲村之戰中擊敗平良正⑤。

源護⑥因而畏懼將門，向朝廷哀告。

「平將門企圖向京城謀反。懇請朝廷務必傳喚將門，進行調查。」

將門因此於承平六年十月上京。

由時任職太政大臣的藤原忠平負責審問。

將門年輕時，十六歲至二十八歲曾住在京城。當時正是服侍忠平。

因將門在京城當過幾年忠平家臣，彼此都深知對方爲人。

「這是一族人的私鬥，不是謀反。」將門如此申述。

忠平也認爲如此。於是忠平喚來當時住在京城的平貞盛。

貞盛與將門是同族人，在坂東⑦或在京城時都與將門交情很好，彼此賞識對方的英勇才幹。

年齡也差不多。

只是貞盛在京城時，坂東之地糾紛擴大，貞盛的父親平國香在與將門的紛爭中遭殺害。

「你認爲如何？」忠平問貞盛。

「將門說的沒錯，這是一族人的私鬥。」貞盛毫不猶豫地如此回應。

⑤平將門叔父。

⑥源護時任常陸國國司，國司相當於今縣長一職。源護育有三子源扶、源隆、源繁。

⑦關東地區。

即使將門是弒父仇敵，但兩件事不能混淆一起。

貞盛知道將門並非謀反。因此貞盛無法扭曲事實，無法說是「將門謀反」。

貞盛還有這點美德。

「明白了。」忠平點頭。

連父親死在將門手下的貞盛本人都說「將門沒有謀反企圖」。這比任何人說的都信得過。

「可是……」貞盛以此爲引子，接著說：「既然我也是武士門第出身，將門便是殺父仇人。日後很可能也會箭矢相向揮劍互砍吧。請諒解這點……」

「嗯。」忠平也只能點頭。

如此，將門才能平安無事回坂東，但並非立即得回。

再怎麼說，畢竟他是謀反嫌疑犯。

要將他無罪釋回，必須在朝廷內部做些疏通，進行種種活動不可。

結果，將門在京城待了半年多。

承平七年五月，將門才得以返回坂東。

平良兼、良正、源護等人當然很不高興。

「換句話說，是要我們擅自在這兒開打？」

「沒錯。」

東國戰爭因此愈發擴大。這時期，有個名叫興世王的男人來到東國。

這男人背景不詳。是個神秘人物。

附帶一提，記載興世王這名字的文獻，僅《將門記》⑧一書，到底是什麼家系或什麼血緣的人，完全不知。拿歌舞伎劇來比喻，猶如在故事進行中，突然鼓聲咚咚作響，舞臺走道的升降機關中，出現個和故事內容毫無相關如妖怪的東西。

這個興世王於天慶八年（九三八年）以武藏權守⑨身分到坂東赴任。

一起到任的副官是源經基。

興世王一赴任，便開始在當地進行掠奪。

「聽說某某家，對我們懷有不良企圖。」

幾乎等於是以訛賴方式故意鬧大事情，對方若表不滿，興世王便以「他們企圖殺害我們」之由襲擊對方，殺死男人、強姦女人、奪取土地。

這時期，經基也總算察覺此男人可能有點不正常。

因興世王在襲擊對方時，不顧四周眼目，總是悠然自得敞開自己衣服前面，取出昂首的那話兒強姦女人。並說：「經基大人也來吧。」

---

⑧描繪「平將門之亂」始末的戰記文學作品，作者及寫作年代均不詳，推估成立於十三世紀初。

⑨相當於東京都、埼玉縣、神奈川縣代理長官。

而一旁則滾落著女人丈夫的頭顱。

打勝仗後，男人有時會強姦敵方妻子或女兒。

然而，已身爲權守身分之人，應該先帶自己中意的女人回宅邸，再適度說服對方成爲自己的女人，才是正常的程序吧？

在戰場做這種事的是士兵。低階士兵才會做。

而即使是低階士兵，只要四周有眼目，也會把女人帶到屋後或隱蔽處進行。

興世王卻毫不在乎地在家族屍骸前強姦女人。

遭強暴的女人的孩子若大哭大叫，他便喝叱「住口」，用刀刺進孩子口中，再將自後腦穿出的刀尖刺進柱子。

之後再慢條斯理開始強姦女人。

經基看過這種光景。他認爲興世王並非這世上的人。

是異常怪物。外表雖是人，但也許不是人。是具有人形的妖物。

強姦女人後，興世王會浮出笑容說：

「經基大人，下回去搶奪誰家土地好呢？」

經基覺得毛骨悚然。脖子毛髮不知於何時都豎起了。

之後，興世王盯上足立郡司⑩武藏武芝。

⑩足立郡，武藏國下轄一郡，郡司為一郡之長。

這跟至今爲止的對象不同。對方是郡司。

看情況很可能等於向朝廷挑戰。

「可以嗎？」連經基都覺得可怕，問興世王。

「無所謂。」興世王說。

「可是，世間人可能會說我們企圖謀反。」

「那有什麼關係？」

「沒關係嗎？」

「你怕了？」

「嗯，很怕。」

「不過維持現狀也一定會發生戰爭。」

「可是……」經基提不起勁。

「那我們想個辦法吧……」

「辦法？」

「讓平將門大人居中調停如何？」

「將門大人？」

「嗯……」

這時期，將門這邊仍跟同族人持續紛爭，經基也知道有關他謀反的謠言。

雖是危險人物，卻因藤原忠平爲他辯解，最後得到無謀反之意的結論。

在此情況下，若因將門居中調停而能解決事情，那也好。

再說若是將門，在坂東一帶很有名。身分足以當調停人。

興世王立即派使者過去，將門答應居中談判。

可是，調停沒成功。

在全體共聚席上，興世王向將門說：

「武芝大人對我們懷有不良企圖……」

這句話已經不是找碴。

武芝是丈部直不破麻呂⑪的子孫，他看不慣興世王那令人無法容忍的掠奪行爲，打算設法解決是事實。

「我的確有此打算……」正派得近乎愚直的這男人老實說：「不過，並非不良企圖。」

「你不是打算對我出手嗎？」

「興世王大人，原因不是在你身上嗎？」

「哦……」

「你赴任以來做了很多令人無法容忍的事。糾正你，這不正是身爲郡司

⑪奈良時代的武藏國之長，亦被稱為「武藏宿禰不破麻呂」。

族人鬧糾紛的將門。

調停失敗。說起來，武芝一開始便不相信有謀反謠言，且目前仍不斷跟應然的事嗎？」

「說什麼鬼話？」

「說什麼鬼話？」

反正興世王和將門都是同類——這想法明顯表現在態度上。

「您特地從中調停，卻讓你失盡面子。」

武芝離去後，興世王向將門俯首道歉。

「不過，能因此加深彼此交情也算一種緣分……」

興世王設筵宴請將門，兩人就彼此交心了。

在一旁靜觀的經基十分恐懼，根本無法和兩人在一起。

原來如此，原來是這樣啊——

或許興世王的目的是想接近將門？

既然如此，其次是——

難道是我？經基暗忖。難道興世王打算和將門共謀，下一個殺的是我？

於是經基逃回京城，向朝廷報告：

「將門大人和武藏權守興世王共謀，有謀反之嫌。」

將門附上下總、上總⑫等關東五國的公文，向太政大臣藤原忠平申訴自己並無謀反企圖。

忠平又再次為將門四處奔走。

將門無謀反企圖——

因忠平盡力，表面上得出此結論，朝廷卻命新人任職關東諸國長官及副長官。

武藏國長官是百濟貞連。

常陸國副長官是藤原維幾。

武藏國副長官是小野諸國。

常陸國有個名叫藤原玄明的人。玄明和到常陸國赴任的新副官藤原維幾不合。他看不慣維幾嚴苛徵稅，不肯繳稅。

興世王這邊則和武藏國新長官百濟貞連不合。他擅自離開武藏國，跑到下總國相馬的將門住處。

而玄明也從常陸國來向將門哭訴：

「新長官維幾的徵稅方式太過嚴苛。」

正好在這時期——

一直跟將門爭鬥的良兼，捉了將門之妻並殺害了她。

⑫今千葉縣中部。

妻子稱爲君御前，在將門與良兼兩軍打得正火烈時，遭襲擊，躲到葦津江。

良兼找著她，強姦後並殺掉。只有愛妾桔梗得救。

二

將門立即行動。

首先，他與玄明、興世王疾風般合力攻打常陸國藤原維幾，打敗對方。

常陸國轉眼間便落入將門手中。

雖奪一國，其過非過。既是如此，同樣將坂東拿下，再觀其狀。

興世王如此說。意思是「既然奪取了常陸國，已不能再回頭了」。

將門因此便等於眞正謀反了。

即便忠平，也無法代將門作任何辯解。興世王又說：

「事已至此，只能將坂東全都拿下吧。要不然朝廷派軍來攻打時，我們將無法迎擊。先把坂東拿下來，再觀看朝廷打算如何……」

將門回說：「正如我意。」

吾欲以東八國⑬爲首，奪下王城。將門苟爲柏原天皇五世末孫。先奪諸國倉鑰，逐國司回京。

先拿下坂東八州，再進攻京城，京城將爲囊中物——

將門如此宣言。

吾將門本爲柏原天皇第五代子孫。那乾脆奪取東八州各國國印、國倉之鑰，把那些長官統統趕回京城吧。

如此，將門依次攻打並占據諸國。

下野國。

上野國⑭。

常陸國。

上總國。

安房國⑮。

相模國⑯。

伊豆國⑰。

⑬包含相模、武藏、安房、上總、下總、常陸、上野、下野等八處。

⑭今群馬縣。

⑮今千葉縣南部。

⑯今神奈川縣。

⑰今靜岡縣伊豆半島。

下總國。

以上諸國全成爲將門領地。

京師定於下總，並定左右大臣、納言、參議、百官、六弁⑱、八史⑲等等。

爲了鑄造天皇印與太政官印，更定其書體及尺寸。

也任命了諸國國司。

下野長官是弟弟將賴。

上野長官是多治經明。

常陸副長官是藤原玄茂。

上總副長官是興世王。

安房長官是文屋好立。

相模長官是平將文。

伊豆長官是平將武。

下總長官是平將爲。

然後，將門自稱新皇。

意思是，東方之地誕生新的國家，在此也誕生新天皇平將門。

當告示眾人新皇誕生之際——

⑱官名，分為左右大弁、中弁、少弁各一人。

⑲官名，分為左右大史、小史各二人。

有個在場的男人突然神靈附體，說：

「吾乃八幡大菩薩使者，授朕位予蔭子⑳平將門。盡早奏樂以迎新皇……」

連神靈都承認將門的新皇宣言。

倖存逃回京城的諸長官向皇上報告了此事。

至此，已非將門謀反這種程度的事了。

他在東國成立新國家並自稱新皇。

整個朝廷人仰馬翻。

「討伐將門。」

「有人願意去攻打將門嗎……」

皇上訊問，卻沒人出聲。因將門本是勇武名聲極高的人物。

在東國的所有戰事，至今爲止百戰百勝，尤其跟興世王聯手以來，他更強得猶如神靈附身。

這時——

一直如忍著什麼痛楚般默不作聲的藤原忠平開口。

「我認爲俵藤太適任……」

俵藤太——正是藤原秀鄉。

「噢，是秀鄉嗎……」

---

⑳五品官位以上、有資格承襲父位之子。

俵藤太秀鄉是東國下野人。年輕時即擅長射箭騎馬，人望亦佳。延喜十六年（九一六年），因率領一族人在附近村落四處鬧事，朝廷判他流放罪。但他並不服從。

朝廷也未打敗藤太，逮捕他後再判以流放罪。僅對精力充沛四處鬧事的藤太，下了「判秀鄉爲流放罪」通告而已。

而要眞正執行，非捉捕藤太不可，卻無法辦到。結果不了了之。

十三年後的延長七年，也發生同樣事。

當時俵藤太又做了荒唐事，朝廷卻無能捉捕他。

換句話說，在將門之前，東國便已發生類似的俵藤太事件了。

「讓那種人物身居於野，反倒危險。」忠平向皇上進言：「我認爲傳喚他到京城，賜與適當官位，並給他個什麼位子比較好……」

事情就這樣決定。

俵藤太授予六品官位，這位當代獨一無二的人物也住進京城。

將門之亂時，如忠平所言，朝廷傳喚俵藤太入宮。

忠平跟藤太單獨會面。忠平先向藤太說：

「國家交予你掌管。」

「國家……」藤太眼睛發光，「哪個國家？」

「下野國。」

「什麼？」

「皇上這回派駐你擔任下野國押領使㉑。」

「可是，下野國……」藤太說到此住口。

有關東國內情，藤太也有耳聞。聽說平將門霸占東國八州㉒，自稱新皇。下野國當然也在將門手中。

「意思是，皇上命我去討伐將門大人？」

「正是……」

也就是說，朝廷願意給藤太下野國——但必須以自己的力量去爭奪。

欲擁有下野國——換句話說，即必須討伐將門。

秀鄉和將門是老相識。將門在京城時，秀鄉也曾在忠平住處與將門見過面。

下野離下總雖遠，但兩人同是東國人。因此兩人均具有不受朝廷支配，特立獨行的地方精神。

藤太喜歡將門這男子。

將門身高六尺有餘，力大無窮。據說能以手指夾住馬蹄拔掉。

某天——

㉑在國司或郡司中，挑選武藝特別高的人兼任，維持國內治安。

㉒即東八國。

藤太向將門說：「你做給我看。」
將門一臉困惑地回說：「這樣馬不是很可憐嗎？」
藤太也喜歡將門說此話時的表情。
「不過，我可以給你看別的。」
將門帶藤太到竹林，隨手伸出右手拇指與食指，用兩根指頭夾住粗大青竹約胸部高之處，發出小小「唔」一聲。
看上去沒用多大力氣，竟輕而易舉地捏碎青竹。
「唔。」
「唔。」
將門用兩根指頭依次捏碎十根青竹。眞是令人驚歎的力氣。
「怎麼樣？」將門說。
「那，我也給你看點功夫。」
藤太說畢，拔出腰上的刀斬斷竹子，當場製作了一把簡易弓箭。
並撕細藤蔓爲弦。箭有十根。
他走出竹林，駐足，觀看附近地面。
「就這兒吧。」
他將九根箭插在地面，右手持一根，左手握弓。

隨意將箭搭在弓上，往天空射出。一根射完，又搭上第二根箭，連續射出。

不一會兒，十根箭都射出了。

每根箭都往上空飛出後，再按射出順序依次刺進地面。

「接下來……」

他小心翼翼拔出刺進地面的箭，每根箭頭都射中一隻螞蟻。

這也是令人驚歎的射箭本領。

藤太和將門，是彼此賞識對方本領的交情。

忠平當然也深知藤太和將門的交情。明知此事而向朝廷提出建議。

「藤太，能擊倒將門的人只有你……」忠平說。

「不。」藤太一口拒絕。

藤太原本喜歡忠平。

他之所以依朝廷召喚來京城，正因爲京城有這位耿直人物在。

他也知道，此回事件，忠平已袒護過將門好幾次。

更深深理解，忠平目前已無法再爲將門辯解了。

然而，即便如此，爲何自己非得討伐將門？

「我不滿意。」藤太坦率說：「說起來，這回的事件，起因在朝廷過於

支配東國。課重稅，並嚴苛徵稅。老百姓也對此事很憤怒。將門大人再如何發動叛亂，沒有老百姓在後撐腰，絕不會成功。這回將門大人發動叛亂掌握東國八州，恐怕也是因老百姓支持他吧。」

藤太說出其平素看法。

「若有可能，我也想提著弓箭長刀加入將門大人的軍隊。」

眞是個坦率的男子。

忠平受到藤太的凝視，不假思索地說：

「可是，藤太，現在的將門已非你所認識的那個將門。」

「什麼意思？」藤太問。

「淨藏大人。」忠平呼喚後方。

突然——

有人從忠平後方豎立的幔帳後站起。是位身穿僧衣的人物。

那人趨前，坐在稍遠地方，可自一旁望向忠平和藤太。

「是叡山橫川的淨藏大人。」忠平說。

「老僧是淨藏。」僧侶向藤太恭敬行了個禮。

忠平用眼色示意，僧侶說：

「這回北斗四周有異樣星斗在移動。」

「異様星斗？」

「將門大人在東國發動的叛亂，幕後有非人的力量操縱。」

「非人的力量？」

「尋常人絕對不敵此力量。」

「你是說我的話就可以……」

「是。」淨藏點頭。「俵藤太大人，以及平貞盛大人……」

「……」

「雖說世上多勇者，但其中你們兩位擁有非凡力量。若兩位聯手……」

「慢著……」藤太打斷淨藏，「我還沒說我會去。」

「的確……」

「比這更令我在意的是剛才忠平大人所言……您說，將門已非我所認識的將門？」

「嗯。」

「這到底是什麼意思？」

「實在無法說明。你還是親眼去確認最好吧？」

「親眼？」

「是的。」

「總之，要我到東國？」
「嗯。你先到東國見將門。屆時，你再決定該如何做。」
「該如何做是什麼意思？」
「要討伐將門，或站在將門那方向朝廷張弓，都隨你意。」
「這樣可以嗎？」
「可以。」
既然忠平如此說，藤太也無法拒絕。
「好，我去。」藤太回答。
「既然您決定了，秀鄉大人，我想請求您一件事。」淨藏道。
「什麼事？」
「您現在有箭嗎？」
「箭？」
「能不能借我一枝箭……」
「箭的話，倒是有……」
藤太來此地時帶著隨從。弓箭應該都在隨從手上。
藤太立即喚來隨從，遞給淨藏一枝箭。是一枝漂亮的嚆矢。
「這個可以嗎？」

「是。」淨藏點頭，又說：「還有另一個請求。」

「什麼事？」

「能不能給我一根秀鄉大人的頭髮？」

「那很簡單……」

藤太拔下一根頭髮遞給淨藏。

淨藏接過頭髮，小心翼翼地纏在剛才接過的嚆矢箭桿上。

「這樣就可以了。」

「這到底用來做什麼？」藤太問。

「是爲秀鄉大人做的。」淨藏說。

「爲我？」

「萬一您在東國需要什麼助力，請唸南無八幡。淨藏將和這枝箭一同前往救助秀鄉大人。」

「噢。」

「另外，秀鄉大人，前往東國時，我認爲您最好走勢多大橋那條路。」

淨藏道。

藤太前往下野時，才因此過了有蟒蛇的勢多大橋。

不，若是藤太，即使淨藏不如此說，聽到蟒蛇風聲後也一定會選擇勢多

大橋吧。

如此，俵藤太──藤原秀鄉與平貞盛往東出發。

藤太在勢多大橋跨過那蟒蛇也正是這時。

三

淨藏這位僧侶是個逸聞很多的人物，而提到有關將門之亂，《拾遺往生傳》㉓裡留下以下逸聞：

又，天慶三年正月二十二日，爲降伏坂東之賊首平將門，以二七日爲限，於橫川修大威德法。將門擕弓，立燈臺上。頃刻傳出嚆矢聲，往東飛去，眾人大驚。淨藏即知降伏必成。因此，公卿行仁王會㉔之際，擇方法師㉕爲待賢門㉖講師。

據聞此日將門將率軍進京。方法師奏曰：頃刻必奉進將門首級。果如法師所云。

將門之亂時，淨藏爲了降伏將門，在叡山橫川修了十四天的大威德明王

㉓一一三二年，三善為康著，內容記載往生阿彌陀淨土者各種傳說。

㉔誦讀《仁王經》，以平定國內災害、叛亂等之法會，起始於六六〇年，有天皇一代一度的全國百處仁王會，還有遇到國家大事時的臨時仁王會，以及春秋仁王會。《仁王經》，又稱《佛說仁王護國般若波羅密經》、《仁王護國般若波羅密經》，為佛陀為十六大國王說明開如何示守護佛果、十地之行，及守護國土之因緣；據聞受持此經，則可息災得福。與《法華經》、《金光明經》並稱護國三部經。

㉕即淨藏。

㉖平安京外城門之一。亦稱「中御門」。

法。

他在護摩壇㉖前燃燒護摩進行修行時，第十四天，燈臺上浮出身穿盔甲的男子。

正是持弓、背箭壺、佩長刀的平將門。

「是將門！」

其他人吃驚大叫，但淨藏平心靜氣繼續修行。

不久，將門身姿便消失了。

淨藏繼續修行，不知何處傳來「南無八幡……」的聲音。結果，擱在護摩壇另一邊的一根嚆矢浮至半空，冷不防發出響聲朝東方上空飛去。

過一會兒，淨藏起身，低聲自言自語：

「這一來，將門大人也完了。」

㉖梵語，意為焚燒。火代表智慧及真理，薪柴代表人的煩惱與災難，藉智慧之火來燒煩惱之薪，有息災、降伏、祈求圓滿之意。

卷八

道蕭三日晴中活動

一

咯吱，咯吱，牛車往前駛。

晴明和博雅坐在牛車內搖來晃去。

他們正前往源經基宅邸。

「可是，沒想到是平將門大人……」博雅喃喃自語，「你說出來之前，我一直不知道。」

博雅很正直。他不會說：其實我也認爲這樣。

「晴明，這麼說來，保憲大人一開始就知道此事而來託你……」

「嗯。」晴明微微拉回下巴點頭。

昨晚保憲到晴明宅邸，又告辭回去。

「我總覺得最近京城發生的種種事很怪……」保憲昨晚說。

這些話博雅也聽到了。

「我四處打聽過了，還是覺得很怪……」保憲說，「因此才託你幫忙一下。」

若晴明著手，能嗅到幕後有將門的味道，「便能證明我所想的事並非多心」。

只是，保憲不能一開始就把將門的名字告訴晴明。

如果一提出將門的名字，晴明或許會將目睹的事都跟將門連在一起。

人，就是這樣。

「所以我才沒告訴你任何事。」保憲說，「你要是對這事也得出將門之名，那就不會有錯。畢竟我們兩個不可能同時判斷錯誤。」

只要晴明行動，隱藏幕後的某人也會行動——

「如此，我想，應該可以更爲看清對方眞面目。」保憲道。

結果，果眞如保憲所說。

自從晴明開始行動，京城裡與將門有關的人物均依次發生事故。

而現在，晴明和博雅正打算前往源經基宅邸。

源經基在東國以副長官身分曾與那位興世王共同行動過一陣子。

「可是，晴明……」博雅說。

「什麼事？博雅……」

外面的陽光透過垂簾照在說話的晴明臉頰。

「爲什麼要去見經基大人……」

「我想問他些事。」

「問什麼事？」

「二十年前的事……」

「噢？」

「問將門大人發動叛亂那時的事。」

「但是，經基大人目前不是因做了好幾次錘釘女子的夢，而臥病在床？」

「我已聽你說過。」

「這樣可以嗎？」

「他的病，不正是我去拜訪他的最佳理由嗎……」

「有道理……」

「博雅，你聽過將門大人的風聲嗎？」

「風聲？」

「聽說將門大人身高七尺，身體如鐵。」

「我也聽說了。可是，風聲畢竟是風聲。只是表示他很強吧？他在京城時，若眞有那種身體，京城應該也會留下類似風聲吧……」

「老實說，博雅，恐怕也不能這樣說。」

「什麼?!」

「藤原忠平大人事後留下的記錄，保憲大人給我看了……」

晴明將內容說給博雅聽：

其外貌異乎尋常。身高七尺有餘，全身皆鐵。左眼雙瞳。六名身壯如將門之人在旁。無人可辨何爲眞正將門。

「眞的？」

「嗯。」晴明點頭。「我覺得將門大人很多地方很怪。」

「什麼地方？」

「不知道……」

「你又要賣關子？」

「不，不是賣關子。說實話，我也不清楚。」

「是嗎？」

「我想，淨藏大人可能對此事最清楚……」

「淨藏大人？」

「我認爲改天也必須去找他問問看……」

「既然如此，到經基大人那兒之前，爲什麼不先去淨藏大人那兒？」

「不，博雅，淨藏大人他啊，很不好應付。」

「不好應付？」

「因此保憲大人才拖我下水吧。」

「……」

「其實保憲大人不擅長應付淨藏大人。」

「那人也有不擅長的地方？」

「因為他是人。」

「人？」

「每個人都有弱點或不擅長的地方。」

「你呢？晴明。」

「我嗎？」

「你有弱點或不擅長的地方嗎？」

「因為我是人。」晴明的回答跟剛才一樣。

「到底怎樣？」

「你就別問了好不好？博雅。」

「不好。」

「現在說的是別的事。」

「我想知道。」

「比這更重要的是淨藏大人的事。」

晴明回到先前的話題。在博雅開口之前，他先說：

「總之，就算改天非見淨藏大人不可，在那之前我想先盡量得知有關這事的一切。」

「事先得知？」

「只要事前知道各種事，去問淨藏大人時比較容易溝通。」

「是嗎？」

「到淨藏大人那兒之前，恐怕還要先去問藤原秀鄉大人和藤原師輔大人。」

「平貞盛大人呢？」

「也得去幾趟吧。總不能作壁上觀。」

「原來如此。」

「何況有關貞盛大人，我還有一件事不清楚。」

「噢，對了，晴明，那時你好像說了什麼。是那件事嗎？」

「那件事？」

「你向維時大人說的事，那時你說了兒肝還是什麼？」

「……」

「告訴我吧，晴明，兒肝到底是？」

「博雅，現在最好不要提這個。」

「又來了？」

「若事實眞是如此，總有一天即使不想知道也會知道。若事實不是如此，那就沒必要知道那是什麼。」

「你這樣說，我不是會愈想知道？」

「原諒我，博雅。這跟貞盛大人名譽有關。不能輕易說出口……」

「名譽？」

「沒錯。」晴明點頭，望著牛車前進方向說，「博雅，目前還是經基大人的事比較重要。」

二

經基躺在被褥裡。

晴明和博雅坐在他枕邊。

「哎，晴明大人，多謝你來這一趟。」經基仰躺地說。

聲音顯得有氣無力。額上有個腫脹大紅斑。雙耳流出膿血沾汙枕頭。

雙眼充血通紅，眼角流下帶血色的眼淚。

「我已自博雅大人處聽聞有關您做夢的一切。聽說您做了惡夢？」晴明說。

「是的。昨晚是眼睛。夢中出現那女子，這回在雙眼釘釘子……」說到此，經基似乎想起夢中內容，閉上雙眼，聲音顫抖，「……而且，那女子用左手手指這樣睜開我的眼皮，讓我無法閉眼……」

據說那女子就這樣將右手的釘子狠狠刺進眼珠。

再用右手握著錘子敲打釘子。

很痛。

雖痛，卻不能動。也無法出聲。

醒來後，明明是做夢，眼睛依舊很痛。

而且所有至今為止全身釘進釘子的地方都紅腫起來。

對經基來說這已非夢境。一半以上是現實。

「這樣下去，我到底會變成怎樣……」

即使想不睡覺，也不能不睡覺。

自然而然會想睡。無法忍耐。

但睡著後，又會再度做夢。

「若能解決問題，我可以插手管嗎？」

「噢。」經基叫出聲，「什麼都好。拜託，晴明大人，請想辦法解決。」

「那麼，能不能借個氣力大的人給我？」

「當然可以。」經基死命發出叫聲喚來下人，「喂，有誰在嗎？」

下人前來，他下令：「照安倍晴明大人的吩咐做事。」

「那，」晴明起身，「請拿鍬子到那去。」

步出住屋，晴明往剛才跟博雅搭牛車穿過的大門走去。

走出大門。身後跟著拿鍬子的下人和博雅。

出了門，晴明在約三尺遠之處駐足。

「唔。」

他望著地面，一步、兩步地左右走動，不久停住腳步。

「你用鍬子挖我足下之處。」晴明向下人說。

下人開始挖晴明用腳示意之處。

「大約挖一尺就可以。」晴明說。

「是什麼？晴明，這兒有什麼嗎？」博雅問。

「不知道，會是什麼呢？」

「不知道就叫人挖？」

「是的。」

「是的?!」

「雖不知道埋些什麼，但一定埋著某物。」

「什麼?」

「挖出來後馬上知道。」

晴明還未說畢，下人用的鍬子尖端已噹一聲碰到某種堅硬物體。

「有東西。」

下人繼續挖，地下約一尺之處出現一樣土器。

「有這東西。」下人拾起遞給晴明。

「出現了這東西，博雅。」晴明給博雅看手中物體。

「這是什麼?」

「土器。」晴明說。

兩個土器口互相蓋住，再用細繩綁成十字狀以防分開。

一搖之下，裡面似乎有東西，傳出響聲。

晴明靈巧地解開綁住土器的細繩，打開對蓋的開口。

「噢。」自晴明肩後窺看的博雅發出叫聲。

合蓋的土器中出現一根釘子。

「這、這不是釘子嗎?」

而且釘子上沾著鏽一般的東西。

「那是什麼？」博雅看著沾在釘子上的東西問。

「大概是血吧。」

「是血？」

「嗯。」

晴明說畢，跨出腳步。他穿過大門，再度進屋。

「喂，喂！」

「其次是屋內。」

「屋內？」

晴明沒回答。回到經基寢室，取出釘子給經基看。

「出現了這東西。」

「這、這是什麼?!」

「是下了咒的釘子。」

「下、下咒?!」

「是。」晴明點頭，又仰望頭上說，「還有另一個。」

「另一個？」

「是的。」晴明指著頭上一根梁柱，吩咐一旁下人，「你能不能爬到那

根梁柱上？」

「是、是。」下人點頭，喚來另一個下人。

他讓另一個下人趴在地上，自己踏在其背上，抓住梁柱，低聲發出「唔」，攀到梁柱上。

「應該能看到什麼東西。」晴明在下面說。

「有釘子。」下人道。

「釘子？」博雅在下面問。

「剛好在經基大人頭上的地方釘著一根釘子。」

「能拔出嗎？」晴明似乎深知一切地問。

「能。雖說釘著，若僅是尖端淺淺釘入……」

下人跨過梁柱，垂下雙腳坐於其上，雙手支在前方柱子，浮起屁股，逐步前進。

接著伸出右手，看似抓住柱子上某物。

在下面觀望的人看不到他右手到底抓住什麼，但從手的動作看來，似乎拔出釘子般的東西。

「拔出了。」

下人右手握著剛拔出的釘子，在上面示意給晴明看。是釘子。

「將那個丟過來。」晴明說。

下人自上面輕輕拋下釘子。晴明用右手在半空接住。

望著釘子，晴明恍然大悟般點頭：「原來如此。」

博雅自一旁湊近瞧，晴明手中握著根四五寸長的釘子，和方纔的釘子一樣。

而且一樣沾著鏽一般東西。

「這也是血嗎……」

「嗯。」晴明點頭。

晴明合起雙掌，指頭交叉纏住，再伸出右手食指和左手食指。

雙掌間夾著重疊的兩根釘子。

晴明將臉湊近雙掌，閉上眼睛，喃喃唸起咒文。

唸完後，晴明在合攏雙掌上「呼」地微微吹了口氣。睜開眼說：「結束了。」

「結束了？」

「是。」晴明點頭，微笑著俯視經基，「您身體有沒有覺得輕鬆一點？」

「……」

經基自下仰望晴明，視線頓住了。他望著半空某個點，發出叫聲：

「噢！」繼而自語，「不、不痛了……」又將視線移至晴明說，「身體輕鬆多了。」然後在被褥上伸出手說：「手、手……」

下人扶住那手，經基緩緩從被褥上起身。

「這、這到底怎麼回事？身體可以動了。」

「太好了。」晴明坐下。

「晴、晴明，你做了什麼？」

「我只是祓除了對經基大人所下的咒。」

「咒？」

「正是這個。」晴明張開右手，給博雅看握在手中的兩根釘子。

「這釘子是……」

「有人想對經基大人下咒，在大門前埋了一根，又在那根梁柱上刺進一根。」

「這就是這回的事件原因？」

「是。」

「到底是誰，又爲了什麼目的做這種事？」

「不知道。」晴明輕輕搖頭，「經基大人有什麼頭緒嗎？」

「沒有。」經基說。

之後沉默了一會兒，又說：

「應該……沒有才對……可是，晴明……」

「是。」

「我離開這屋子到別人家睡覺時，那女子也來了。」

「只要中了一次咒，之後便很容易……」

「很容易？」

「您出門時，大概有人尾隨於後吧。」

「尾隨？」

「尾隨之後，再於經基大人進入的宅邸大門前也埋下這東西。」

「什麼……」

「只要您身體已中咒，便沒必要在梁柱上又刺進釘子。埋在大門前就夠了。」

「那麼，那女子……」

「不是女子本身。」

「不是本身？」

「應該是陰態。」

「陰態？」

「如影子般的東西。本人身在別處，以陰態到經基大人身邊。」

「……」

「一般人看不到，只有經基大人看得到。」

「那、那，已經沒事了？那女子不會再來了嗎……」

「暫且不會來了。」

「暫且？」

「若再發生，表示有人又做了同樣事。」

「會再發生嗎？」經基聲音帶著恐懼。

「您不放心的話，每天叫家人檢查一次門前和梁柱較好。」

「就這麼辦。」

「我可以帶走這東西嗎？」晴明給經基看手中釘子。

「噢。願意帶走的話，我還求之不得。這東西留在這兒只會令人害怕。」

「那麼……」

晴明自懷中取出紙，包住兩根釘子揣入懷中。

其次又自懷中取出一張折好的紙片。

「經基大人。」

「唔。」

「好好休養，睡個五天，大概就能恢復原本的健康。」
「這眞是太感謝了。」
「可是，不知何時對方又會設下同樣的咒。」
「誰會下咒？」
「我剛剛說過不知道。不過，爲以防萬一，我準備了這個。」
晴明攤開紙片給經基看。
「這是……」
紙上繪著畫。是一隻動物畫。
「象……但又不似……」
那畫確實類似大象。鼻子很長，眼睛也很細。
「是天竺大象？」
「不是。」晴明微微左右搖頭。
仔細一看，若說是大象，耳朵太小，也沒象牙。
彼時，象的繪畫或雕像已隨佛教傳入日本，經基當然也看過乘於象背上的普賢菩薩雕像或象頭人身的歡喜天①雕像。
「是什麼？」
「是貘。」

①密宗神名，多做夫婦二身相抱象頭人身之形。

「貘？」

「是。」

「貘是？」

「是一種食夢的動物。」

「食夢？」

「說是夢，牠吃的並非普通的夢。」

「是嗎？」

「這貘，專門食惡夢。」

「專門食惡夢？」

「是的，因此若有邪惡東西打算進入經基大人夢中，這貘會吃掉對方。」

「原來如此。」

「即便對方的咒很強，只要這貘在，應該可以減弱對方力量。」

「噢。」

「今晚開始，您入寢前，將這貘擱在枕頭下吧。」

「哎，太好了，晴明大人。」

「若再發生什麼事，我會再來打攪。請您放心……」

「有您這句話我就不怕了。」經基說。

「這事就這樣了，經基大人……」晴明換了口氣。

「什麼事？」

「我有些別的事想請教您，可以嗎？」

「噢，晴明，你盡管問。」經基聲音已恢復元氣，「什麼事？」

「有關平將門大人的事。」

「將門……」經基眼神瞬間變得很遙遠，「是那個將門？」

「是。」

「想問什麼？」

「是經基大人向朝廷上奏平將門有謀反企圖一事嗎？」

「是的，正是我。」

「您在坂東曾幾次見過將門大人嗎？」

「嗯。」

「關於那個將門大人，有些奇怪傳聞。」

「確實有。」

「身體如鐵。有六個酷似的人，他們始終伴在將門大人身邊？」

「嗯。」

「這是事實嗎？」

「什麼意思？」
「經基大人見過的將門大人眞是這樣的人嗎？」
「不，我見到的將門，身體雖很高大，但跟常人一樣……」
「身體如鐵？」
「沒有。」
「左眼有雙瞳？」
「沒有。」經基左右搖頭，「沒那回事。」
「經基大人回京城向朝廷上奏後，有沒有再見到將門大人？」
「沒有。」
「既然如此，此傳聞若是事實，那便是經基大人離開坂東後，將門大人才變成那種身體。」
「大概吧。」經基點頭。
「我可以再問另一件事嗎……」
「什麼事？」
「是興世王大人的事。」
「噢。」經基探出身。

三

黑暗中，火堆熊熊燃燒。

此處是杉樹林裡。每株杉樹樹齡都有千年以上。

樹根如粗蛇般盤踞地面。

其中有株特別引人注目的巨大杉樹。

杉樹樹齡看上去大概有二千年以上。

那杉樹樹根附近燃著火堆。

面向火堆的杉樹樹幹及頂上伸展的樹枝映著紅色火光，猶如整座杉樹林都在燃燒。

五人圍坐火堆旁。

四個男人。一個老人。

老人背倚巨大杉樹樹幹坐著，面對四個男人。

四個男人都身穿黑窄袖服，腰上佩長刀。

老人白髮白髯。

「原來如此，被發現了。」老人低語。

「是。」四個男人之一點頭。

「經基那小子，如此一來壽命就延長了。」

「是土御門的陰陽師發現的。」

「是晴明？」

「是。」

「那，釘子在那男人手上？」

「應該帶回去了。」

「那男人干涉太深的話有點棘手……」

「要襲擊他嗎？」

「慢著。」

「慢著？」

「那不是容易對付的對手。」

「……」

「本來打算誘引淨藏那小子爬出洞穴，沒想到晴明先出來。」

「看來是這樣……」

「不管怎樣，淨藏定也藏身幕後……」老人說至此，望向對面最左邊男人問：「右臂還沒找到？」

「是。」男人點頭。

「算了。反正屆時一定找得到。」說畢，又同時問四人，「話說回來，那個師輔似乎遇害了，有人瞞著我先動手？」

「沒有。」

「沒人動手。」

四個男人否定。

「怪了……」老人語畢，緊閉雙脣。

老人無言地轉頭望向左邊杉樹林黑暗深處。

凝望了一會兒——

「喂，不出來嗎？」老人呼喚。

結果——

「哎呀，被發現了？」傳來聲音。是男人聲音。

四個男人握住長刀，單膝跪地，回頭望向後方。

有個老人從一株杉樹後搔著頭走出來。

是個身穿破爛黑水干的老人。

蓬亂白髮隨意生長。白髯也是任意生長，不知放置多少年才能長成那樣。

「你是……」

「吾人是蘆屋道滿。」老人黃眼炯炯發光說。
站在該地的正是蘆屋道滿。
「眞不巧，竟在這種地方遇見你，祥仙大人……」道滿說。
「唔！」
右邊的男人發出叫聲，拔出長刀，奔向道滿。
「呀！」
他朝道滿頭頂揮下長刀。
喀！長刀發出聲音，切開道滿額頭，潛入雙眼間。
「唔！」道滿叫出聲。
道滿黃眼動著。左右兩個眼珠滴溜溜地轉至鼻子中央，望著潛入雙眼間的長刀。
道滿揚起左右嘴角笑出聲。
咯、咯、咯、咯、咯。
乾乾的笑聲，紅舌在黃牙內滾動。
「什麼?!」
用長刀斬向道滿的男人往後一躍。
但他無法抽出潛入道滿額頭的長刀，只好鬆開雙手。

長刀留在道滿額上。

「沒用的。」道滿說畢，咯咯大笑。

其他三人已拔出長刀站起身來。

「住手。」從對面傳來老人——祥仙自眾人背後發出的叫聲。

「那是傀儡……」祥仙說。

「傀儡？」失去長刀的男人低語。

「那東西只是他本人在別處操縱而已。」

「唔。」

「即使斬了、刺了，那只是木偶而已……」祥仙道。

「不愧是你，知道得很清楚。」

道滿咯咯笑著步向火堆。額上仍插著大把長刀，看上去很奇異。

道滿來到眾人眼前。

「退開。」道滿說，眾人往左右退開。

道滿悠然穿過眾人，隔著火堆坐在祥仙對面。

道滿額頭及額上長刀都映著搖曳火光。

「噢，眞暖和。」道滿伸手取暖，望著祥仙抿嘴笑道，「山中夜晚太冷了。」

「有何貴幹？道滿大人……」祥仙問。

「貴幹嗎？」道滿望著火堆低聲說，「也沒什麼事。」

「沒事？」

「沒事。」

「那你爲何來此？」

「沒什麼。吾人只是旁觀者。」

「旁觀者？」

「是啊，旁觀而已。」

「旁觀什麼？」

「旁觀祥仙大人你們到底打算做什麼，晴明又要如何對付。」

「唔。」祥仙探測道滿眞意似的望著他。

「吾人只是希望這事最好能變得好玩些而已。」道滿說。

「是嗎？」

「例如，我覺得京城滅亡也不錯。如此才有旁觀價値。」

「只是旁觀？」

「要是不好玩，吾人也許會偶爾出面攪局一下。」

「眞是個怪人。」祥仙微笑。

道滿和祥仙互望了一會兒。不久，道滿開口：

「祥仙大人……」

「什麼事？」

「你做了某事吧。」

「某事指的是？」

「你對貞盛做了某事吧。」道滿說。

「是嗎……」

「你要裝糊塗也行。反正連我都察覺了，那個晴明應該也察覺了。」

「哦？」

「最好不要小看晴明。不然事情就不好玩。」

道滿露出微笑。

「該走了……」道滿低語。

低語完，道滿身體便往前倒入火堆中。

火堆迸出火星，道滿身體發出聲音燃燒起來。

仔細一看，那是木偶。

插在木偶額上的長刀刀尖在火堆中朝空豎立。

「眞是有趣的人。」祥仙喃喃自語。

說畢，雙脣繼而發出低微笑聲。

「無論是道滿還是晴明，我都不會讓他們從中阻礙。若有必要，道滿也可以殺掉……」

祥仙嘴脣浮出令人寒毛直豎的笑容。

卷九　興世王

一

俵藤太獨自一人穿過將門宅邸大門。

吾欲會見——

他送此信給將門後，回信吩咐他單獨一人來。

「我去。」藤太如此說時，所有臣下都阻止藤太。

「也許是將門那傢伙的計謀。」

「單獨一人去，萬一被殺怎麼辦？」

「被殺了便什麼事都不能做，還能怎麼辦？」藤太笑著對臣下說：「到了最後關頭，唯死而已。」

他一人騎馬出門，未帶任何隨從。

也沒帶弓箭，身上只佩著黃金丸。

俵藤太看到將門時大吃一驚。

首先，將門外貌變得判若兩人。

藤太坐在圓草墊上和將門會面。

將門一族人和隨從嚴肅地坐在左右兩排。

他們都知道藤太的勇士風聲，也知道藤太不是來和將門喝酒。

藤太悠然坐在這些男人包圍中。

將門坐在藤太正面。坐在將門左側的男人正是膚色微黑的興世王。

「久違了，藤太……」將門說。

聲音雖比以前低沉，也變粗了，但那確實是藤太熟悉的聲音。

然而，與聲音比起，外貌和身體怎麼變成如此？

先是身體變得高大。以前不是只有六尺嗎？

身高六尺已算是很高大了，現在那身體比以前更增大一二圈。

約有七尺吧。身高增高一尺多。

臉龐膚色黝黑。宛如鐵一般黑亮。

嘴巴也變大，牙齒都比以前長。尤其犬齒，大概有三倍長。

鼻孔往左右擴展，左右眼角也上吊。

頭髮卷曲直豎，無論前方、後方、左右、上下，都往所有方向長得既長又蓬亂。

乍看之下像是別人，但仔細觀看，雙眼仍隱約留有將門昔日面貌，嘴巴綻出笑容時也看得出將門昔日面貌。

「你怎麼變成這樣，將門……」藤太問。

「這才是自然的我。」將門說，「因我擺脫京城桎梏，自由了……」

「自由？」

「嗯，有生以來，我覺得首次成爲人。」

「人？」

「以前的我，雖是人，卻也不是人。現在覺得總算成爲人。」

「是嗎？」

「藤太，怎樣？」

「什麼怎樣？」

「你想不想跟我一樣，背叛朝廷？」

「好像很有趣……」藤太說。

「噢……」

在場男人之間傳出一陣低沉歡呼。

「活在自然狀態很舒服……」

兩人交談時，興世王只是緊閉雙唇，靜聽將門和藤太的對話。

他望向藤太的眼光潛藏著令人害怕的光芒。

「拿酒來。」

將門吩咐後，出現幾個女子捧著擱上酒瓶、酒杯的食案。

食案擱在將門、興世王、藤太面前。

「請用……」坐在藤太旁的女子舉起酒瓶說。

仔細一看，是個年約二十的漂亮女子。

「嗯。」

藤太遞出酒杯，女子在酒杯內盛滿幾乎溢出的酒。

藤太一口氣喝光。

「喝得眞爽快。」

將門說畢，也喝光自己杯內的酒。

「怎樣？藤太……」將門舉著空酒杯說，「你能殺我嗎？」

將門放聲大笑，又說：「我給你看好東西。」

他起身走過藤太身旁，赤足走下庭院。

「來人！牽馬過來。」

立即有人牽一匹馬來到庭院。

將門用雙臂攬住馬的粗大脖子，「唔」一聲，將馬撂倒。

他用左手抓住躺在地上的馬前肢，用力一拉，再用右手抓住馬蹄。

接著隨手嘎吱嘎吱剝下馬蹄。

馬因疼痛而嘶叫，掙扎著想逃離。

但將門將它壓住，馬無法逃離。將門站起身，拋開沾滿鮮血的馬蹄。

馬雖站起來了，卻舉著左前肢。馬用三隻腳站立。

左前肢鮮血滴答淌落地面。太殘酷了。

「怎樣？藤太，你以前不是想看這個嗎？」將門道。

說此話的將門已失去以前在京城提到此事時，認爲馬太可憐而用手指捏碎青竹的表情。

「沒想到身爲勇士的你，竟爲了餘興而讓馬遭殃……」藤太說。

「說什麼呀？你在京城不是要我做這事嗎？」

藤太即便想回說，當時若你眞打算做，我也會阻止，但說了也沒用。

將門已非藤太所認識的那個將門——

藤太腦裡浮起忠平和淨藏說過的這句話。

「桔梗……」將門說。

「是。」坐在藤太旁的女子回應。

「藤太的酒杯空了。」

「是。」

名爲桔梗那女子舉起酒瓶，在藤太手中酒杯內斟酒。

這時——

「藤太大人，請小心……」

桔梗爲不讓別人聽到，在藤太耳旁竊竊私語。

「將門大人企圖今晚殺死藤太大人。」

桔梗佯裝笑出，巧妙用袖子遮住嘴如此說。

「這宅邸東邊有將門大人賜給我的房子。萬一有危險，請您逃到我家。」

藤太沒點頭，臉色也沒變。因他早預料到了。

而且也決定萬一眞有危險時，逃。

既然要逃，單獨一人比較方便。

用長刀與對方交鋒，闢出逃路，再跳上馬，頭也不回地奔逃。

藤太本來以爲就算無法擊倒將門也應該逃得掉。

然而——

且不論眼前所見的將門如何，面對這個將門和這些眾多士兵，他逃得掉嗎？

敵方用弓箭射來的話——

或許長刀可以斬斷二、三枝箭，但若射來二、三十枝，絕對無法斬斷全部的箭。

不過，若是夜晚——

只要躲進黑暗中，應該比較容易逃走，對方即使想射箭，也會因看不清對象而無法射出。

等夜晚吧——藤太暗自下定決心。

既然將門企圖殺自己，那就將計就計。佯裝被騙，等夜晚來臨。

若眞如名爲桔梗這女人所說那般，將門打算在夜晚行事，反倒更好。

可是，這個名爲桔梗的女子，可靠嗎？

「喂，桔梗，藤太大人酒杯空了。」將門說。

「眞的，我實在……」

桔梗在酒杯內斟酒。又竊竊私語說：

「請千萬別喝太多……」

桔梗看似倒了許多酒，其實酒杯內只有少許酒。只第一杯斟滿酒而已。

「在京城，每個女子都擺架子，不可能在酒席如此爲客人斟酒吧。這就是我們坂東作風。」

將門如此說，從庭院上來。坐到原位後，將門又說：

「藤太，朝廷叫你來制裁我吧？」

「是的。」藤太毫不懼怕，若無其事回答。

「即便明天將成爲敵人，但現在你仍是我的友人。」

「嗯。」

「喝。」將門道。

他親自舉起酒瓶，用膝蓋把身子挪至前方。

藤太喝光杯中酒，再伸手接受將門斟酒。

「我本來就打算有朝一日在某處跟你較量一下武藝和力量。」

「我也是。」藤太點頭。這是眞心話。

「嗯。」

「嗯。」

兩人彼此斟酒，全喝光。

將門因比以前增大一二圈，氣魄看似也增強了。

然而——藤太暗忖。眞正的棘手對手或許不是將門，而是在一旁無言凝視藤太的興世王。

完全不知他在想什麼。是個令人心裡發毛的男人。

「今晚你就在這兒過夜。」將門道。

「好。」

「好。」

藤太和將門同時點頭，彼此互望。

二

藤太在寢具中徐徐呼吸著黑暗。

自鼻子吸入黑暗，再從嘴巴吐出。

藤太屏氣斂息，彷彿讓自己體內充滿黑暗般。

他將微微拔出的黃金丸摟在腹部，以便敵方在任何時刻或以何種方式襲擊時都能迎擊。

可是——

他很在意那個叫桔梗的女子。

那女子是友方？還是敵方？

若是敵方，藤太明白她的目的。她是向自己設圈套。

萬一暗殺失敗，可以引誘藤太到那女子家。

若是友方的話——藤太就不明白了。

爲何那個叫桔梗的女子打算救藤太？

想著想著，黑暗中，意識繃緊起來，如薄刃般清晰敏銳。

他聽到聲音。是沉重東西踩在窄廊的聲音。

地板發出咯吱聲。

起初只有一次。有一會兒，聽不到接下來的聲音。

完全沒有聲音，幾乎讓藤太以爲最初聽到的聲音是錯覺。

但等待時，又聽到咯吱聲。

有人踏出第二步。可是，藤太沒亂了呼吸。

之後，那聲音又停頓了很長時間。對方相當小心翼翼。

大概在靜聽這邊的呼吸吧。

藤太故意翻個身。他察覺對方瞬間亂了呼吸。

不過，對方立即穩定呼吸。

因藤太翻身，對方雖暗吃一驚，此刻反而安心了吧。

咯吱，咯吱，又多了兩人踏上窄廊的跡象。

不僅兩人。黑暗庭院中還有其餘無數動靜。

不是三、四人。是十或二十人，或者更多人聚在黑暗中的跡象。

其中幾人進屋。

一人。

兩人。

兩人進屋後，又有兩人踏上窄廊。人數相當多。

（這表示將門那小子並沒小看我吧）

藤太在黑暗中露出白牙笑著。

不過，並非人數多就能成功。頂多只須四、五人。

若考慮到在黑暗中打鬥，不用太多人。只要幾個武藝好的人即可。

白天的話另當別論，夜晚黑暗中人數太多反倒不利。除非統制得非常好，否則人多只會自掘墳墓。

藤太已決定好戰術。反正並非在熟睡中遭襲。這邊已有心理準備。

敵方似乎湊足了預定人數。開始行動。

進屋的十多人步步逼近包圍藤太。

彼此默默無言。事前應該都商討好該如何做了吧。

其他人一定在外面圍住整棟建築物，以便藤太不管自何處奔出都可以圍剿。

刷。

刷。

刷。

可能是潛入者從腰上拔出長刀，響起如此聲音。

連肌膚都感覺得出黑暗中充滿強烈殺氣。

刀刃逼近眼前。

挨近的人恐怕也看不清屋內狀況。
外面勉強有新月的微弱月光。
他們是仰賴射進屋的月光而行。
男人們已接近至可以感覺氣息的距離。
就在幾把刀刃同時刺進被褥那瞬間——
先動的是藤太。他冷不防拋出蓋被。
男人們「哇」地大叫一聲，刀尖刺進藤太拋出的蓋被。
「對方察覺了。」
然而藤太已不在原地。他拋出蓋被時，同時也躍到半空。
躍到半空，手抓住頂上梁柱，輕巧地跳上。
跳躍時，拋出蓋被的同時也揮出刀，抽回時再自半空往下斬。
最初一刀自下斬落某人下巴，自上揮下那刀則斜面斬斷另一個男人頭部。
嘩！
傳來鮮血噴到地板的聲音，也傳來人體倒落的沉重聲音。
「呼哇哇哇！」下巴被斬斷的男人在底下大叫。
「怎麼了？」
「幹掉了？」

「被幹掉一人了。」

「藤太呢？」

眾人知道夥伴中有人遇害。也知道另一人被殺。

只是，倒地那人到底是夥伴還是藤太？

在藤太拋出蓋被，眾男人禁不住砍下時，已搞不清彼此位置。

「怎麼了？」

「成功沒？」

外面有人問。

瞬間，藤太自梁柱跳下。跳下時斬了一人，又斬了另一人。

「在那邊！」

「還活著！」

「斬！斬！」

藤太改變聲音大叫。

「什麼？」

「那邊嗎？」

「在這兒！」

眾男人揮劍。傳出刀刃交擊聲。

刀刃斬人體的聲音。眾人的叫聲。是自相殘殺。

彼此都誤以爲身邊的是藤太。而藤太早已不在眾人中。

他沉下身，自地板上滾到角落。

「小心點。」

「藤太那傢伙假裝是自己人，小心他砍過來！」

藤太又改變聲音大叫。

眾人已失去判斷那聲音到底是誰的鎮靜。

爲了保衛自己只能向身邊人亂砍。

多虧黑暗。藤太知道除自己外都是敵人。

無論對方是誰，砍過去就好。但敵方卻不能如此。

「慢著！慢著！」有人大叫。

「砍夥伴做什麼？」

「藤太呢？」

「不是已殺了他？」

「火，點火！」

「藤太已知道我們襲擊，點燃火把。」

藤太朝腳邊聲音傳來的方向揮劍。

腳踝被斬斷的男人「哇」地發出叫聲，倒下。
「還活著！」
「看刀！」
對方再度自相殘殺。眾人受不了逃往庭院。
藤太也混在其中奔至外面。
眾人已分不清誰是誰了。
藤太呼吸著外頭的黑暗，露出白牙，在黑暗中笑著。他血液沸騰。
「逃掉了！」
藤太又大叫。
「那邊！」
「別讓他逃！」
邊如此叫邊亂砍。
「哇！」
「慢著！」
「慢著！」
「是自己人！」
庭院中又開始自相殘殺。不久，有人燃起火把。

一根。兩根。這才總算可以看清彼此面貌。

「怎樣？」

「藤太在嗎？」

「不在。」

眾人互相叫道。

「不是已殺死他了嗎？」

仔細觀看倒在地上的人，全是自己人，有人已斷氣，有人因受傷而發出呻吟。

四十多人包圍藤太，沒受傷的竟不到半數。

「所以不是說過了？一開始就點火把襲擊比較保險。」

「混蛋。」

「現在說這話有何用？」

「什麼？」

眾人殺氣騰騰。

「藤太那傢伙逃掉了？」

四處不見藤太身影。

三

藤太已身在外面。雖暫且逃離了，但仍非完全逃離。

四周亮起來的話遲早會被發現。他需要馬。

本來打算到馬廄，卻看到那方向有火把亮光，藤太只能放棄。

在火把亮光中，敵方一定立刻認出自己。

黃金丸已收回刀鞘。

因握著白晃晃刀身，若火把亮光或月光映在刀身上，會讓敵方知道藏身處。

黑暗中到處可見火把亮光。

總數不下百人。而且人數持續增多。

怎麼辦？

想到此，腦中浮出桔梗的話：

（這宅邸東邊有將門賜給我的房子。）

藤太雙腳往東前進。

四

果然有棟可能是桔梗住處的房子。

裡面沒點任何燈火。

房子雖不大，但四周圍著土牆，在月光下也能看到大門。

「這……」

正當藤太不知如何是好時，大門內傳出聲音。

「是俵藤太大人嗎？」是女子聲音。

大門內走出個類似女子的人影，在月光中再度問：

「是藤太大人嗎？」

藤太本來躲在粗大松樹後，說了句「是藤太」後，走到女子前。

從聲音已知那女子不是桔梗。可能是桔梗的女侍。

「藤太大人，桔梗夫人在等您。」女子頷首，催促藤太說：「請往這走。」

女子輕推大門，門扉微微開啓。藤太和女子一起進門。

進屋後，裡面已點了燈火，桔梗那女子正坐在裡面。

「我正在等您。」桔梗說。

藤太坐在桔梗前問：「等我？」

「是。」桔梗點頭說：「我想，若是俵藤太大人，應能平安無事。」

「多虧妳於事前告訴我，非常感謝。」

「不，若是普通人，就算我於事前說再多，大概也不能活著從那兒逃出來。因是俵藤太大人才辦得到……」

「可是，話又說回來，妳為何救我……」

「我想求您拯救將門大人。」

「拯救將門？」

「是。」

「拯救是什麼意思？」

「現在的將門大人已非以前的將門大人。」

「嗯。」藤太點頭，「我也認為如此。」

「我是將門大人的愛妾。」

「是嗎？」

「本來是平良兼大人愛妾帶來的孩子，因將門大人看上我，日後便在他身邊侍候。」

「桔梗夫人為何要我拯救將門……」

「說起來，這回事件起因在平一族人的私鬥。」

「這點我也知道。」

「事情會變成這樣，是因為有人慫恿將門大人。」

「有人慫恿將門？是誰……」

「是興世王。」

「是那男人？」藤太說。

與將門會面時，始終不發一言，只是默不作聲凝視藤太的那男人——

「那男人出現以後，將門大人才變了。」

「的確變得不像以前的他，這都是那個興世王……」

「一定是他。」

「可是……」藤太說至此，停住口。

說要拯救將門，已無法拯救了。

就算可以和他聯手一起對抗朝廷，但遲早會被朝廷滅亡。

無論受誰如何慫恿，將門背叛朝廷已是不爭的事實。

他趕走朝廷派來的長官，訂定新長官，並自稱新皇。

已經無法作任何辯解了。

「救不了。」藤太說，「除非將門滅了朝廷，成立新朝廷，或朝廷消滅將門外，大概沒其他路可走。」

「可是，只要打倒那個興世王，將門大人可以恢復原來的將門大人……」

「可以恢復嗎？」

「是。」

「不過，即使恢復了，結果還是一樣吧。」藤太道。

就算恢復以前的將門，叛亂者依舊是叛亂者。

結果——

「沒那回事。」桔梗以強烈的口氣說，「他可以以人的身分死去。」

「哦……」

「現在的將門大人不是人。」

「聽說他身體如鐵那般堅硬，無論砍或刺都無法傷害他的身體……」

「是。」

「也聽說他左眼有雙瞳。」

「是。」

「更聽說有六個和將門一模一樣的人……加上將門總計七人。」

「這點也沒錯。」

「個性變得很殘忍。」

「是。」

「這些都是那個興世王幹的……」

「正是。」桔梗點頭，又問藤太，「藤太大人，您聽過興世王的風聲嗎？」

「來坂東前大致都聽說了。」

經基因懼怕興世王與將門，逃回京城向朝廷報告種種事。

藤太也聽說了報告內容。

「既然如此，您應該知道吧？將門大人不再是以前的將門大人，正是那個興世王來了以後……」

「嗯。」

「剛好那時，將門大人的夫人君御前和孩子在葦津江遭良兼大人殺害……」

「確實如此。」

「在那極爲悲哀時，興世王來了，他在將門大人身上做了某事。」

「做了什麼？」

「不知道。」桔梗左右搖頭，「雖不知道，但確實做了某事。」

「唔。」

「將門大人在戰場現身時，人數有七個……但，有個方法可以辨識誰是眞正的將門大人。」

「什麼？」

「是影子。」

「影子？」

「七人中，只有眞正的將門大人有影子……」

「原來……」

「而且，如鐵的身體也有個地方是肉身。」

「什麼地方？」藤太問。

這時，方纔那女侍進來。

「桔梗夫人。」

她看似非常慌張。

「什麼事？」

「將門大人此刻突然來訪。」

「將門大人來了？」

「是。」

桔梗即刻轉身面對藤太說：

「藤太大人，請您馬上找個地方躲起來。」

藤太已握著黃金丸起身。

「屋後繫著一匹有馬鞍的馬，請您趁機騎那匹馬逃離此地。」

「明白了。」

藤太點頭時，已聽到往這邊步步走來的沉重足音。

「桔梗在嗎？」將門進入。

一模一樣的將門竟有七人。

這時，藤太躲在幔帳後。

將門環視四周，瞪著桔梗。

「喂，桔梗。」他以駭人聲音說，「我沒通知就突然過來，爲何妳穿得這麼整齊，而且還點了燈火？」

五

「剛才起似乎有些騷動，爲了隨時可以爲您做點什麼事，命女侍準備的。」桔梗說。

「準備？」將門那可怕視線警惕地四處游移。

燈火映在眼裡搖晃著。

「……話雖如此，還是很怪。」將門低語。

「很怪……」

「很怪……」

其他將門也同樣低語。

藤太在幔帳內偷窺他們。仔細觀看，七個將門中有六人沒照出影子。

只有一人有影子。桔梗說的沒錯。

每位將門都穿上鎧甲，頭上戴著鐵製頭盔。

藤太的黃金丸已出鞘。隨時可以拔出。

緊急關頭時，藤太打算砍將門一刀，再奔至屋後。

這把黃金丸到底能不能砍斷將門的肉身？

這是連那堅硬大蜈蚣軀體也能砍斷的長刀。

之後，寶刀又經琵琶湖住了二千年的蛇神重新磨過再度賜給藤太。

藤太認爲，只要自己運氣用力砍，世上沒砍不下的東西。

然而，對方是化爲妖物的將門。

砍得下嗎?!

（只能試試看了。）藤太已做好心理準備。

桔梗反問看似若有所思的將門。

「剛才那陣騷動是怎麼回事？」

「沒殺成藤太那小子。」將門說。

「你們果然襲擊了藤太大人。」

「那男人是來殺我的。」

「可是，他照您吩咐單獨一人前來。」

「這就是那男人厲害的地方。值得殺。」

「完全變了。」

「什麼?!」

「將門大人，我說的是您。」

「我？」

「若是以前的將門大人，應該會獨自一人向單獨前來的藤太大人挑戰。」

「桔梗啊，悲哀和憎恨會改變一個人……」

「……」

「我不是想變而變。因不得不變才變。已經不能回頭了。」

「……」

「妖鬼，正是如此。」將門發出類似五臟六腑沸騰的聲音憤恨地說。

這時傳來小小奔跑足音，有個穿紅窄袖服、七歲左右的女童跑進來。

「噢，瀧子姬。」

桔梗仍坐著，用雙袖裹住般摟住女童。

「父親大人，母親大人，您們在做什麼？」桔梗手臂中的女童說，「瀧子討厭爭吵。父親大人，請您跟母親大人和好。」

將門聽女童如此說，回道：

「噢，我的小女兒啊，小女兒啊，父親不是在跟母親吵架。快，妳現在不能待在這兒。」

「有人嗎？過來一下……」桔梗呼喚。

「是。」

聲音響起，剛才帶藤太進屋那女侍出現。

「帶瀧子……」桔梗說。

女侍似乎立即明白狀況地點頭。

「瀧子小姐，跟我來。母親大人和父親大人正在討論重要事……」

女侍牽著女童的手消失於前方。

「桔梗，繼續說……」將門開口時，又傳來足音。

彷彿自黑暗爬出來般，出現的是身穿黑衣的興世王。

興世王如黑妖物突然冒出地站著。

「桔梗夫人……」興世王抿嘴笑道，「我想問您一件事。」

「什麼事？」

「剛才我巡視屋後，發現繫著一匹馬，裝上馬鞍隨時可供驅策，請問那匹馬是用來做什麼？」

「那是……」桔梗說不出來。

「是真的？」將門問。自頭盔垂下的頭髮刷地直豎起來。

「是事實，將門大人……」興世王說。

將門瞪著桔梗大聲問：「爲了什麼理由？」

這時——

「爲了這個理由！」

藤太自幔帳後跳出大叫。

他拔出黃金丸從正上方往將門頭部揮下。

噹一聲，沉重金屬聲響起，將門戴的頭盔斷成兩半。

變成兩個的頭盔發出聲響落在地板上。

然而將門依舊站著。黃金丸將鐵製頭盔一刀兩斷，將門頭部卻完好如初。

「噢！」

七個將門回應了一聲，同時拔刀。

明明揮下應該連頭部也該斬斷的一刀，但將門仍站著。

「果然在，藤太！」

掉落頭盔的將門頭部刷、刷地豎起長髮，如黑色圓光①般擴展開來。

頭髮尖端一部觸及燈火，撲哧、撲哧通紅燃起，縮成一團地燒焦了。

眞是駭人的光景。但藤太豪不畏懼。

「是我潛入這屋內威脅這女子，叫她爲我準備馬匹。」藤太說，「剛才也恐嚇她，要是她多說話，我會自背後殺她，既然馬匹被發現，就到此爲止。」

「藤太大人！」桔梗大叫。

七個將門同時向藤太揮下長刀。

藤太手中的黃金丸一閃。黃金丸砍的不是將門也不是興世王。

黃金丸砍的是燈芯。

四周突然一片漆黑。

「好小子，藤太！」

奔跑聲。物體倒塌聲。女子悲鳴聲。

藤太聽著這些自後方傳來的聲音在黑暗中奔馳。

①佛及菩薩身後散發出的光暈。

六

「就這樣，我好不容易才逃回來。」藤太說。

「原來如此。」坐著聽藤太描述的是平貞盛。

「總之，多虧桔梗夫人我才能死裡逃生……」

將門手下潛伏在屋後等著藤太。

興世王認爲藤太會到準備好的馬匹處，事前命手下在該地埋伏。

黑暗中追趕藤太的人也都繞到屋後。

但藤太卻採取偏反行動，也沒跑到正面，他翻過土牆逃到房子側面，奔入竹林中。

再尋找伏兵較少之處殺進去奪走馬匹。

騎著那馬於月光中一路狂奔，才逃出將門手中。

「那人，已非以前的將門。」藤太向貞盛說。

「那麼，你願意站在我們這邊？」

「我要討伐將門。」藤太堅決說。

「不過，有影子的才是眞正的將門，其他都是幻影，你帶來這消息眞好。」

「嗯。」

「不用理其他六個將門，應該只針對有影子的將門。」

「我也下定決心了。」

「可是你沒打聽出將門的肉身之處，實在太遺憾。」貞盛道。

「嗯。」

藤太點頭，但他腦裡銘刻著一個光景。

當時——

砍了燈芯，四周陷入黑暗之前，桔梗大叫：

「藤太大人！」

那時桔梗用右手食指指著自己右耳上——亦即右邊太陽穴那地方。

將門和興世王應該沒察覺此事。

那到底是什麼意思？

那是不是桔梗說到半途而沒說完——是不是桔梗用食指向藤太示意，將門身上唯一肉身之處呢？

「開戰了。」藤太說。

「嗯。」貞盛道。

七

藤太、貞盛軍和將門軍打了數月仗，最後還跨年。

坂東武者軍團非常強。

騎馬可以奔馳千里，握劍不惜性命。

不過，藤太、貞盛所率領的軍隊也是以坂東武者軍團爲主。

藤太、貞盛軍勢壓倒將門。兩人只要射箭，敵方武者便會依次倒下。

敵方的箭還未抵達前，藤太和貞盛箭已射出。

百發百中。射出一枝，必定有一人倒下。

新年一月，參議藤原忠文受命爲討伐將門的征東大將軍，副將軍源經基和藤原忠舒也加入戰局。

因此將門軍接二連三敗退。

二月，藤原玄明、坂上逐高戰死於常陸國。

平將賴和藤原玄茂也戰死於相模國，將武則於甲斐國受誅。

而興世王也在上總國被殺，梟首示眾。

只剩下將門主力軍。這剩下的將門軍非常棘手。

將門已成爲鬼神。

無論戰況再如何有利，只要將門出現上陣揮刀，戰況就立即逆轉。將門軍會甦醒過來，重振聲勢。

即使藤太和貞盛射箭，將門那鐵身都會彈回箭。

將門在馬匹上放聲大笑。

「好癢啊，藤太……」將門說，「這種箭射再多，對我來說不過就如蒼蠅停在身上的感覺。」

就算瞄準那時桔梗用手指示意的地方，卻因該處戴著比先前更厚的鐵製頭盔，箭射不進。

「即便只剩我單騎，我也會奔馳到京城誅殺天子！」

將門若在馬匹上如此大叫，戰場便會揚起「喔」的回應。

「藤太啊，」貞盛聽將門那樣說，以下定決心的聲音說，「若無法殺死將門，把他抓起來，挖個千尺深的洞埋進即可。」

貞盛在馬匹上拔刀，「呀」一聲踢著馬腹往前奔馳。

「喂，我是貞盛！」

「把他殺了！」

貞盛踢散蜂擁而來的步兵，用長刀趕開，騎馬站在將門正面。

「你來了，貞盛。」將門說。

將門周圍也出現騎馬的六個將門，異口同聲說：
「你來了，貞盛。」
「你來了，貞盛。」
「你來了，貞盛。」
「你來了，貞盛。」
「你來了，貞盛。」
「你來了，貞盛。」
「沒用。」貞盛道，「我已知道誰是眞正的你。其他六人都是幻影。你正是眞正的將門。」
貞盛朝中央的將門揮刀。將門沒躲避，若無其事地受長刀一擊。
將門的肉體彈回貞盛得意的一刀。
「來得好，貞盛。」將門說，「一對一吧。」
「求之不得。」
將門在馬上拔刀。
「呀！」
「噢！」
彼此操縱馬匹手握長刀廝殺了一二回合，招架不住的是貞盛。

此時已是傍晚。

貞盛的刀和將門的刀在半空交接，迸出火星。

將門毫不躲避貞盛砍過來的刀，反倒砍向貞盛。

因沒必要護身，將門比較有利。

貞盛立即陷入只能竭盡全力抵擋將門之刀的困境。

「喂，怎麼了？」

「什麼事？」

「看你氣喘吁吁的，貞盛大人。」

「哼！」

藤太在對面觀望。只見貞盛隨時有可能敗在將門手下。

可是，到底該怎麼辦？

這時，藤太腦裡突然浮出淨藏說過的話。

「南無八幡……」藤太不假思索地自口中喃喃唸出這句話。

於是——

上空不知何處「嗡」地響起嚆矢聲。

藤太仰望天空。太陽快下山的西邊上空出現個閃閃發光的東西。

那閃耀的金色亮光快速朝藤太挨近。

「唔！」

藤太發出叫聲時，藤太右手已吸入該亮光。

「這是？」

望著右掌，藤太大吃一驚。原來自己右掌握著一枝嚆矢。

正是那時自己交給淨藏的那枝嚆矢。

「原來是這個！」

藤太左掌握弓，搭上嚆矢，拉弦。

將門和貞盛還在對面打。貞盛快要被擊倒。

「啊！」貞盛發出叫聲。

將門擊中貞盛頭部，頭盔鬆開滾落地面。

「貞盛，認命吧。」將門朝貞盛揮下長刀。

「這沒什麼。」貞盛後仰，想避開將門的長刀。

卻避不開。將門的長刀砍中貞盛右額。

「噢?!」貞盛大叫，自馬匹滾落地面。

將門自上正要朝貞盛揮刀。已不容猶豫。

藤太瞄準將門頭部——桔梗示意的右耳正上方，咻一聲射出。

嗡！嚆矢聲響起，藤太射出的嚆矢撲哧射進正要對貞盛揮刀的將門頭部。

嗃矢射穿厚重鐵製頭盔，刺進將門右耳上。

「哇！」將門大叫，自馬匹滾落。

同時，六匹馬上的六個將門也消失了。

「俵藤太擊中平將門！」藤太大喊。

於是，將門軍敗退。

「被殺了！」

「將門大人被殺了！」

將門軍中連續出現逃兵，最後全軍開始潰逃。

在這騷亂中，藤太手持黃金丸奔向將門落馬之處。

來了一看，貞盛正按著額頭起身。

「貞盛大人。」

「沒事。」

貞盛用自己的長刀當拐杖站起來。腳邊躺著將門。

頭盔完全斷了，露出將門頭臉。

將門身體左側朝下，橫躺地面。朝上的頭部右邊太陽穴正插著淨藏的嗃矢。

令人吃驚的是將門還活著。將門打算站起身，貞盛用當拐杖的長刀砍下。

「不讓你逃。」

但長刀彈回來。雖說嚆矢刺中將門，將門似乎仍是不死之身。

「沒用，我不會死。」

將門快要站起身。

「活著等來世再向朝廷復仇……」

「什麼？」貞盛又刺進長刀。但刀刃刺不進。

將門快要站起身。

「死心吧，將門。」藤太說，「只剩你活著，還能做什麼？」

藤太企圖說服將門。但將門支起膝蓋，單膝跪地。

而且試圖站起身來。他全身顫抖著。

「別站起來，將門……」藤太溫和地說，「你的夢想已結束……」

藤太雙眼流出斗大淚滴。

「爲何哭泣……」將門仰望藤太問。

「將門，你，正是我。」

「什麼？」

「即使你不做，或許我會代你做出同樣事。不，一定會做……」

「……」

「也或許，我會跟你一起拉弓，向朝廷射箭。」

「但你不是沒做？不是沒做嗎？藤太……」

「是的……」藤太說。

「爲什麼？爲什麼你不跟我一起同朝廷作戰？」

藤太說不出話。好不容易才喃喃自語：「……這是命運。」

他只能這樣說。

「命運？」

「來此地前，我本來認爲或許會跟你一起拉弓。這是眞心話……」

「說的眞好聽。」

「是眞的。」

「……」

「可是你變得太過分。到底發生什麼事？如果你仍是以前我在京城所認識的你……」

「那會怎樣？」

「說了也沒用。」

「是你先說的，藤太……」將門又打算站起身。

他全身發抖。站不起來。

「死心吧，將門……」

哼哼。將門歪著嘴脣笑道：「即使我死了，即使我成爲妖鬼……」

他即將站起身，膝蓋卻又跪落。將門吐出火焰般氣息地喘著氣。

「即使成爲妖鬼，我也要復仇……」

牙齒咯吱作響。將門的頭髮刷、刷地開始往半空直豎。

逐漸陰暗的大氣中，青色火焰在頭髮中燃起。

「藤太……」將門說，「你斬了桔梗……」咬牙切齒地說。

「什麼？我斬了桔梗夫人？」

「那時，你逃離之前不是順手砍了桔梗一刀？點燃燈火時桔梗已躺在地板。」

「怎麼可能？」藤太說。

那時他確實在黑暗中揮舞黃金丸。也砍了人。

可是應該沒砍到桔梗。然而，那時，他聽到女子悲鳴。

難道是那時——

不過，那不是自己揮舞黃金丸時。

會不會是別人的刀誤殺了桔梗——但絕不是自己的刀。

「不是我。」

「是你。」

「我沒砍她。」

「有人看到了。」

「誰？」

「是與世王。」

「什麼?!」

「那男人說，他在黑暗中確實看到你的長刀砍向桔梗。」

「胡說。他在黑暗中爲何看得清？」

「那男人與眾不同。」

「與眾不同？」

「再說，你不是恐嚇桔梗，若她說出你的藏身處，你將砍死她？這是你自己說的……」

「那是……」

藤太本打算說，那是爲了袒護桔梗。

可是就算說出了，此刻的將門恐怕也聽不進去。

「那是……什麼？你說不出來？說不出來表示果然是你殺了桔梗，藤太……」

「不是。」藤太只能這樣說，「桔梗夫人死了？」

「還活著。但不知明天又如何。」

「……」

「讓我殺了你吧，藤太……」

將門已經打算站起身。全身都在痙攣。

「唔。」

他翻著白眼，眼珠滴溜溜轉了一圈，馬上又恢復黑眼珠。

「這枝箭實在礙眼……」

將門用右手握住刺進右邊太陽穴的嚆矢，打算拔出。

萬一拔出——將門或許又會恢復鐵身再度作亂。

「不讓你拔。」藤太揮下黃金丸。

握著箭把的將門右臂咕咚落地，噴出鮮血。

「爲、爲什麼？」將門瞪大雙眼，「爲什麼刀刃可以穿過我的身體？」

他仰望藤太，「我彈回貞盛的刀，爲什麼你的刀……」

接著將門突然想起某事般，呻吟道：

「原來如此。是黃金丸吧。是那把帶神氣的劍撕裂我的肉吧。」

將門笑了一下。

「可是，我的鐵身也曾一度彈回那把黃金丸。原來如此，是這枝箭吧？只要拔出這枝箭，即使是黃金丸也無法刺進我的鐵身……」

這回將門用左手想拔出嚆矢。

「住手！」藤太握著黃金丸大叫。

「不。」將門左手握住箭，正欲拔出。

「呀！」藤太揮下黃金丸，將門左臂落地。

剛才斬斷的右臂和此刻落地的左臂都還在地面蠕動。

將門咬牙切齒仰望藤太。

「藤太……」將門說，「殺了我。砍下我的頭顱。頭顱的話應該可以飛到京城代我復仇。」

「將門……」

藤太早已不忍看下去。將門遲早該砍頭。這樣下去只會讓將門更痛苦。

「我就讓你痛快吧，將門。」藤太舉起黃金丸說，「原諒我。」

藤太砍下將門頭顱。

喀哧！頭顱離開身體那瞬間飛到半空欲咬住藤太喉嚨。

「藤太大人！」貞盛大叫。

「唔。」藤太用左臂護住自己脖子。

將門頭顱用牙齒咬住那左臂。

「唔。」

藤太將黃金丸插在地面，右手抓住將門頭髮，拔開自己左臂上的將門頭顱。

將門頭顱撕裂藤太左臂上的肉分離開了。

「有事嗎？」貞盛跑過來。

若是一般人大概會因恐懼而發狂，但藤太只是額上冒著汗珠咬緊牙根而已。

這時，追趕將門軍的貞盛、藤太士兵已三三兩兩聚集過來。

「沒事。」藤太說畢，將頭顱擱在地面。

將門頭顱被擱在地面後仍滴溜轉動眼珠，瞪著藤太。

「噢！」

「這！」

眾士兵發出叫聲往後退。原來將門雖只剩頭顱，卻仍活著。

這時——又發生令人更驚訝的事。

躺在地面的將門身體竟站起來，欲往前奔逃。方向是京城。

「哇！」

士兵們發出叫聲往後跳開。

「呀！」

藤太拔出插在地面的黃金丸。

「嚇！」

「嗒！」

黃金丸斬斷欲奔逃的將門雙足。

一旁傳來笑聲。將門頭顱在地面放聲大笑。

「怎樣？藤太，怎樣？」將門頭顱說，「我變成頭顱也還活著。」

頭顱笑嘻嘻說。

「將門，你終於淪爲妖物了。」藤太說。

藤太在眾目睽睽之下用黃金丸砍斷仍在動的將門身體，並且砍成兩截、四截。

「將這些身體分別埋在關八州②不同地方。」藤太說，「頭顱醃漬起來帶到京城。」

「噢，那太感謝了。竟然特地帶我的頭顱到京城……」將門頭顱說。

②即東八國、東國八州。

八

將門的頭顱跟平將賴、多治經明、藤原玄茂、文屋好立、平將文、平將武、平將爲以及興世王的頭顱，一起被帶到京城，在鴨河河灘懸首示眾。

這九個頭顱中只有將門的還活著。

不但活著，且滔滔不絕。

「我將成爲妖鬼詛咒京城。」

「我的仇恨永不消。」

因畏於此，最後終於沒人敢再到河灘觀看頭顱。

皇上也沒去觀看。

他只是命畫師畫了這些頭顱，觀看了畫而已。

爲了收拾懸首示眾十天的頭顱，公役到河灘一看，發現只有將門頭顱自懸首臺上消失。

「頭顱飛走了，回到坂東了……」

有人如此說。

「大概是相關的某人偷了頭顱帶走了……」

也有人如此說。

無論如何，只有將門頭顱消失。
其他所有頭顱都埋葬於地下，但將門頭顱到底如何卻無人知曉。

（續下卷）

作者介紹

夢枕獏（YUMEMAKURA Baku）

日本SF作家俱樂部會員、日本文藝家協會會員。生於神奈川縣小田原市，東海大學文學部日本文學系畢業。嗜好是釣魚，特別熱愛釣香魚。也熱中泛舟、登山等等戶外活動。此外，還喜歡看格鬥技比賽、漫畫，喜愛攝影、傳統藝能（如歌舞伎）的欣賞。

夢枕先生曾自述，最初使用「夢枕獏」這個筆名，始自於高中時寫同人誌風的作品。「獏」這個字，正是中文的「貘」，指的是那種吃掉惡夢的怪獸。夢枕先生因爲「想要想出夢一般的故事」，而取了這個筆名。

年表：

一九五一年　一月一日生於神奈川縣小田原市。

一九七三年　東海大學日本文學系畢業。

一九七五年　到海外登山旅行，初訪尼泊爾。

一九七七年　在筒井康隆主辦的SF同人雜誌《NEO NULL》、及柴野拓美

一九七九年　主辦的《宇宙塵》上發表作品。在《NEO NULL》上發表的〈蛙之死〉受到業界人士注意，同作轉至SF專門商業出版雜誌《奇想天外》刊登而成為出道作。之後在《奇想天外》發表中篇小說〈巨人傳〉，而正式開始作家之路。

在集英社文庫Cobalt推出第一本單行本《彈貓的歐爾歐拉涅爺爺》。

一九八一年　在雙葉社推出第一次的單行本新書《幻獸變化》。

一九八二年　在朝日Sonorama文庫推出Chimera系列第一部《幻獸少年Chimera》。

一九八四年　在祥傳社Non-Novel書系發表的「狩獵魔獸」系列三部曲成為暢銷作。

一九八六年　循《西遊記》裡的旅途前往中國大陸作取材之旅，從長安到吐魯番。「陰陽師」系列開始連載。

一九八七年　繼續西遊記行程。下半年與野田知祐一同在加拿大的育空河泛舟。

一九八八年　第三次踏上西遊記的旅程，到天山的穆素爾嶺。文藝春秋社出版《陰陽師》。

一九八九年	以《吃掉上弦月的獅子》奪得第十屆日本SF大獎。
一九九〇年	《吃掉上弦月的獅子》獲頒星雲賞平成元年度日本長篇獎。
一九九三年	十月爲坂東玉三郎所寫的〈三國傳來玄象譚〉在東京歌舞伎座「藝術祭十月大歌舞伎」上演。
一九九四年	出任日本SF作家俱樂部會長。岡野玲子改編的漫畫作品《陰陽師》出版。
一九九五年	小說《空手道上班族班練馬分部》由NHK拍成電視劇,由奧田瑛二主演。在東京神保町的畫廊舉辦照片展「聖琉璃之山」(亦有同名攝影集)。文藝春秋社出版《陰陽師—飛天卷》。
一九九六年	爲坂東玉三郎作詞的〈楊貴妃〉在歌舞伎座上演。爲NHK BS臺的「釣魚紀行」錄影赴挪威。十月起在NHK總合臺「大人的遊樂時間」擔任常任主持人。爲電視節目「世界謎題紀行」錄影赴澳洲。
一九九七年	文藝春秋社出版《陰陽師—付喪神卷》。
一九九八年	於中央公論新社出版《平成講釋—安倍晴明傳》。
一九九九年	《陰陽師—生成姬》於朝日新聞晚報開始連載。
二〇〇〇年	文藝春秋社出版《陰陽師—鳳凰卷》。

二〇〇一年　四月，NHK製作、放映《陰陽師》，由SMAP成員之一的稻垣吾郎主演。六月，岡野玲子的漫畫版出版至第十冊。十月，電影「陰陽師」上映。由知名狂言家野村萬齋飾演主角「安倍晴明」，眞田廣之、小泉今日子等人共同主演。文藝春秋社出版《陰陽師—晴明取瘤》。

二〇〇三年　電影「陰陽師II」於十月上映。文藝春秋社出版《陰陽師—太極卷》。

二〇〇六年　首度來台參加台北國際書展，掀起夢枕旋風。

二〇〇七年　改編同名作品的電影「大帝之劍」由堤幸彥導演、阿部寬主演，於四月在日本上映。七月文藝春秋社出版《陰陽師—夜光杯卷》。年底配合首本繁體中文版《陰陽師》繪本《三角鐵環》來台舉辦簽書會，再度掀起《陰陽師》的閱讀熱潮。

二〇〇八年　雙葉社出版《東天的獅子》系列。

二〇一〇年　文藝春秋社出版《陰陽師—天鼓卷》。角川書店出版與天野喜孝、叶松谷共同合作的《楊貴妃的晚餐》。

二〇一一年　以《大江戶釣客傳》獲得第三十九屆泉鏡花文學獎、第五屆舟橋聖一文學獎。改編《陰陽師》的漫畫家岡野玲子訪台。同年傳出陳凱歌將與日本電影公司合作《沙門空海》的電影拍攝作業。文藝春秋社出版《陰陽師—醍醐卷》。

二〇一二年 以《大江戶釣客傳》獲得第四十六屆吉川英治文學獎。十月文藝春秋社出版《陰陽師—醉月卷》。適逢《陰陽師》出版二十五週年，文藝春秋社也同步出版《陰陽師完全解析手冊》。

二〇一三年 八月參加NHK總合台的柳家權太樓的演藝圖鑑節目播出。九月在東京歌舞伎座上演《陰陽師—瀧夜叉姬》，創下全公演滿座紀錄。十月小學館出版長篇小說《大江戶恐龍傳》系列。

二〇一四年 文藝春秋社出版《陰陽師—蒼猴卷》、《陰陽師—螢火卷》，後者出版後獲得十一月網路票選「二十歲男性閱讀的時代小說」第二名。

二〇一五年 曾獲第十一屆柴田鍊三郎獎的小說《眾神的山嶺》，將由導演平山秀行翻拍成電影，阿部寬與岡田准一主演，三月前往尼泊爾山區取景，將於二〇一六年於日本全國院線上映。睽違十二年《陰陽師》再度影像化，夏季將在朝日電視台播出同名SP電視劇，由歌舞伎演員市川染五郎主演。

二〇一七年 作家生涯四十週年，榮獲菊池寬獎及日本推理大賞。

國家圖書館出版品預行編目（CIP）資料

陰陽師. 第十部 瀧夜叉姬 / 夢枕獏著 ; 茂呂美耶譯-- 二版.
-- 新北市 : 木馬文化出版 : 遠足文化發行, 2018.10
336面 ; 14 x 20公分. -- (繆思系列)
ISBN 978-986-359-596-0 (上:平裝)

861.57 107016122

繆思系列

陰陽師〔第十部〕瀧夜叉姬（上）

作者／夢枕獏（Baku Yumemakura） 封面繪圖／村上豐
譯者／茂呂美耶
社長／陳蕙慧
副總編輯／簡伊玲
編輯／王凱林
行銷企劃／李逸文・廖祿存
特約主編／連秋香
封面設計／蔡惠如
美術編輯／蔡惠如
內文排版／綠貝殼資訊有限公司

社長／郭重興
發行人兼出版總監／曾大福
出版／木馬文化事業股份有限公司
發行／遠足文化事業股份有限公司
地址／231新北市新店區民權路108之4號8樓
電話／02-2218-1417
傳眞／02-8667-1891
Email：service@bookrep.com.tw
郵撥帳號／19588272 木馬文化事業股份有限公司
客服專線／0800221029
法律顧問／華洋國際專利商標事務所 蘇文生 律師
初版一刷 2007年5月
二版一刷 2018年10月
二版二刷 2021年2月
定價／新台幣320元
ISBN 978-986-359-596-0